"LE FRANÇAIS SANS FRONTIÈRES"
Collection dirigée par Christian Baylon
Maître assistant de linguistique à l'université de Montpellier

PHILIPPE DOMINIQUE

CHANTAL PLUM ADRIANA SANTOMAURO

EXERCICES COMPLEMENTAIRES

hurtubise hmh

Cle international
79, avenue Denfert-Rochereau 75014 PARIS

© CLE International PARIS 1985

Introduction

Ce livret d'exercices complémentaires peut être utilisé pour préparer l'étude des dossiers du livre de l'élève de Sans Frontières 3, mais tout aussi bien pour compléter et approfondir cette étude.

L'élève trouvera ici :

— Une présentation du contenu de chaque dossier du livre.
— Des exercices de grammaire.
— Des exercices sur documents.
— Des exercices de vocabulaire.
— Des informations sur les auteurs et les textes.

EXERCICES DE GRAMMAIRE

En rapport avec les chapitres de grammaire contenus dans les dossiers, sont proposés ici des exercices qui complètent le travail de systématisation. Ces exercices pourront être réalisés avant ou après avoir effectué les exercices grammaticaux qui se trouvent à la fin du livre de l'élève.

EXERCICES SUR DOCUMENTS

Pour préparer la compréhension de certains documents courts qui se trouvent sous les rubriques « ÉCOUTE » et « REGARDS » du livre de l'élève, sont proposées ici des activités d'exploitation sur plusieurs de ces documents.

Pour faciliter la réalisation des exercices, les documents pour lesquels un travail est demandé sont reproduits dans ce livret.

EXERCICES DE VOCABULAIRE

Un entraînement systématique pour une meilleure mémorisation du vocabulaire se présente ici sous la forme d'exercices sur : les familles de mots, les contraires, les suffixes, le vocabulaire thématique, les expressions imagées, etc.

INFORMATIONS

Pour chaque dossier, l'élève pourra trouver dans ce livret des informations essentielles concernant les auteurs et les textes qu'il aura découverts dans son livre.

CORRIGÉ DES EXERCICES

Afin de permettre un travail autonome, d'entraînement ou de révision, à la fin de ce livret se trouvent les solutions de tous les exercices proposés.

DOSSIER 1

«UN CERTAIN MONSIEUR DUPONT»
Les Français vus de l'étranger

AU SOMMAIRE DU DOSSIER 1

- Les Français vus par les étrangers.
- La France du tourisme et de la gastronomie.
- La France des clichés, celle des immigrés et des réfugiés politiques, France terre d'asile.

Photos, publicités, textes, sondages, interviews :
tout un dossier pour vous aider à comprendre un peu mieux
ce pays dont vous étudiez la langue.

1. EXERCICES DE GRAMMAIRE

PRONOMS RELATIFS - PROPOSITIONS RELATIVES

1. *Complétez les phrases de la série A par les propositions de la série B.*

Phrases de la série A.

a) Ma nouvelle lessive fait des merveilles.
b) J'aime m'occuper des bêtes.
c) Une locataire m'a prévenu de votre départ.
d) Je mets toujours cette bague.
e) Je vous rends votre stylo.
f) Le tuyau d'arrosage est encore percé.
g) Un accident s'est produit entre un poids lourd et une voiture particulière.
h) Nous allons traverser ce village.
i) J'aime bien les danses folkloriques.
j) La grange a failli brûler.

Propositions relatives de la série B.

1) que j'ai réparé hier
2) qui se déroulent en plein air
3) que l'on m'a offerte l'an dernier
4) dont j'ignore les causes
5) dont je ne dirai pas le nom
6) sans lesquelles je m'ennuie
7) où nous avons passé nos vacances
8) où l'on dormait
9) à qui je n'ai jamais parlé
10) dont je n'ai pas eu besoin.

QUE / QUI / DONT / OÙ

2. *Transformez les couples de phrases suivants en une phrase unique contenant une proposition relative.*

Ex. : Cet enfant porte un pull rouge. Il s'appelle Mathieu.
→ Cet enfant qui porte un pull rouge s'appelle Mathieu.

1. Il habite chez son vieil oncle. On appelle ce dernier « le père Grégoire ».
2. Ce jeune Américain a prononcé quelques mots. Je n'y ai rien compris.
3. Voici la vieille chapelle. Je t'en avais parlé.
4. J'admire beaucoup la basilique de Vézelay. Son tympan est le plus beau chef-d'œuvre de la sculpture romane.
5. Nous approchons de la forêt. Les chasseurs y ont organisé une battue.

DONT / DE QUOI / DUQUEL

3. *Complétez les phrases suivantes par* dont, de qui, duquel, *selon les cas :*

1. Je me suis rendu au lycée ... elle avait été élève.
2. C'est une grande chance pour lui ... je ne sais pas s'il se rend compte (J. Romains).
3. Je suis la seule personne de la discrétion ... elle est sûre (E. Jaloux).
4. J'ai reçu deux lettres, ... voici l'une.
5. Il y avait derrière la maison un grand parc, sous les ombrages ... il faisait bon flâner.

LEQUEL, LAQUELLE, etc.

4. *Complétez les phrases suivantes en utilisant un pronom relatif.*

Ex. : C'est bien la station de métro en face de laquelle tu habitais ?

1. Ce sont les pastilles sans ... il n'aurait pu cesser de fumer.
2. Apporte-moi la boîte dans ... j'ai rangé les boutons.
3. Voici le chêne près ... nous avons campé l'été dernier.
4. C'est l'œuvre à ... il a tant travaillé.
5. Ce sont ces abus contre ... il s'élève.
6. Voici les pièces de monnaie ... elle porte tant d'intérêt.
7. Ce sont des gens, auprès ... tu trouveras un grand réconfort.
8. C'est une mauvaise habitude, contre ... il lutte en vain depuis longtemps.
9. Il a détruit la caisse dans ... il transportait habituellement son chat.
10. C'est le musée en face ... il y a un si beau magasin.

5 *Remplacez la proposition relative par un adjectif qualificatif :*

Ex. : La Terre possède des ressources minières qui ne connaissent pas de limites.

→ La Terre possède des ressources minières illimitées.

1. Il faut avoir pitié des gens qui ne sont pas heureux.
2. J'ai reçu pour Noël une petite voiture que l'on commande de loin.
3. Tous les élèves qui étaient là ont passé la visite médicale.
4. La mairie d'Ambert est un bâtiment dont la forme est celle d'un cercle.
5. Le Concorde est un avion qui vole plus vite que le son.
6. Les plongeurs sous-marins disposent de montres qui peuvent fonctionner sous l'eau.
7. Pour la fête des Pères, nous avons offert à Papa un rasoir qui fonctionne à l'électricité.

6 *Remplacez les propositions relatives par un participe présent ou passé :*

1. Le clochard, qui était recroquevillé au bas du mur, semblait incapable de bouger.
2. La carriole, qui grinçait et brinquebalait sur ses roues incertaines, transportait des objets hétéroclites.
3. Mon père, qui fronçait les sourcils d'un air fort mécontent, me prit par les épaules.
4. Les arbres, que secouait la tempête, craquaient de façon inquiétante.
5. Elle contemplait avec désarroi ses livres, qui étaient empilés à même le sol.

7 *Attention à la place de la proposition relative par rapport à l'antécédent !*

En principe, la relative suit immédiatement l'antécédent. Sinon, la phrase produit un effet cocasse ou absurde, comme dans cet exemple cité par Jean-Charles, dans Les Nouvelles Perles du facteur *(éd. Calmann-Lévy).*

Le chauffeur s'est écrasé contre une borne kilométrique qui était dans un état d'ivresse avancé.

Rétablissez la phrase correcte. Faites de même sur les phrases suivantes, également construites de travers :

1. Il attendait sa femme au métro République, avec qui il avait rendez-vous.
2. Mon père a acheté un fromage à la fermière, dont l'odeur a empesté notre voiture pendant tout le voyage de retour.
3. La neige tombait sur l'homme qui la regardait avec de gros flocons blancs.
4. En courant, il bouscula une femme dans une flaque d'eau, qui cria d'indignation.

LA MISE EN RELIEF

8 *Complétez ces phrases, à l'aide de* moi qui, toi qui, *etc.*

1. C'est ... qui seras le chat !
2. ... qui suis gourmand, j'adore ce gâteau.
3. C'est ... qui le dites !
4. Ce sont ... qui vous empêchent de parler ?
5. ... qui chantent si bien nous préparent un petit concert.
6. Toi et ... qui sommes paresseux ... ferons la sieste.
7. ... qui avez de la chance, prenez un billet de loterie.
8. ... qui es courageux, va voir si la porte est fermée.

9 *Dans les phrases suivantes, remplacez les points de suspension par* voici, voilà, il y a *ou* c'est, *selon ce qui convient (éventuellement à la forme négative).*

1. Vous quittez Paris par l'autoroute ? . . . peut être assez rapide, mais . . . aussi bien encombré ! . . . d'autres itinéraires, qui sont plus lents, mais plus tranquilles. En . . . un, par exemple : . . . celui qui passe par Melun et Montereau.
2. J'ai l'idée que . . . . . . peut-être aussi loin que nous l'imaginons (*Alain Fournier*).
3. Tenez, . . . Monsieur qui revient de loin, paraît-il (*Émile Zola*).
4. . . . une fois un homme, un seigneur, et lui et sa dame avaient une petite fille du nom de Marie (*Henri Pourrat*)
5. . . . le fils du roi seul avec sa pantoufle. Mais . . . pas rien, la pantoufle de verre, si mignonette et merveilleuse (*Henri Pourrat*).

L'IMPARFAIT

10 *Transformation de textes. Nous avons mis au présent les phrases suivantes, qui en réalité ont été écrites à l'imparfait par leurs auteurs. Reconstituez les textes originaux.*

1. Dans la chambre voisine, j'entends ma tante qui cause toute seule à mi-voix.

(*d'après* Marcel PROUST.)

2. L'ami de Raymond habite un petit cabanon de bois à l'extrémité de la plage. La maison est adossée à des rochers et les pilotis qui la soutiennent sur le devant baignent déjà dans l'eau. Raymond nous a présentés. Son ami s'appelle Masson. C'est un grand type, massif de taille et d'épaules, avec une petite femme ronde et gentille, à l'accent parisien.

(*d'après* Albert CAMUS, *L'Étranger,* éd. Gallimard.)

LE PASSÉ COMPOSÉ

11 *Dans le texte qui suit, mettez les verbes entre parenthèses au passé composé.*

Je me rends compte que l'enfant que je fus, prompt à s'éprendre comme à se blesser, (*avoir*) beaucoup de chances. J'(*marcher*) sur le miroir d'une rivère, pleine d'anneaux de couleuvre et de danses de papillons. J'(*jouer*) dans des vergers dont la robuste vieillesse donnait des fruits. Je (*se tapir*) dans des roseaux, sous la garde d'être forts comme des chênes et sensibles comme des oiseaux.

Ce monde net (*mourir*) sans laisser de charnier. Il (*ne plus rester*) que souches calcinées, surfaces errantes, informe pugilat, et l'eau bleue d'un puits minuscule veillée par cet Ami silencieux.

René CHAR, *Suzerain. Poèmes et prose choisis.*

12 *Même exercice.*

Alors, pleins d'appréhension, ils (*oser*) s'avancer, ils (*s'approcher*) des portes gardées, des hautes grilles de la demeure royale où ces princes de l'esprit vivaient enfermés. Ils (*prononcer*) timidement certains mots. Les hautes grilles (*s'entrouvrir*) pour les laisser passer. Ils (*franchir*) des espaces solennels, les vastes cours de palais royaux couvertes de gravier blanc. Ils (*entrer*) et ils (*voir*). Quoi donc ? demandait, quand ils (*ressortir*), la foule toujours plus dense et impatiente des exclus.

Nathalie SARRAUTE, *Les Fruits d'Or.*

13 *Transposez au passé composé le texte qui suit. Attention ! Trois verbes doivent être transposés à l'imparfait.*

Tante Agnès alors se lève, et descend l'escalier de la terrasse. Philippe Charles la suit. On ne paraît pas le remarquer. Ils s'éloignent dans l'allée qui tourne autour du bassin, et tante Agnès au passage donne quelques tapes sur l'encolure de l'âne que j'aperçois aussi et qui, mécaniquement, à intervalles réguliers, fait un pas dans le gazon qu'il tond. Philippe Charles et tante Agnès font une lente promenade autour du parc, et on les voit passer çà et là dans une éclaircie entre les buissons et les bosquets d'hortensias. De nouveaux invités arrivent, chaque fois la cloche sonne.

PLUS-QUE-PARFAIT ET IMPARFAIT
PLUS-QUE-PARFAIT ET PASSÉ COMPOSÉ

14 *Complétez les phrases suivantes en utilisant les verbes entre parenthèses.*

Exemples :

Elle était très fatiguée parce qu'elle avait passé toute sa vie à travailler durement.
Il passait son temps à relire le livre qu'on lui avait offert le jour de son anniversaire.
Il s'est évadé alors qu'il avait déjà fait la moitié de sa peine.
Elle a déchiré la robe qu'elle avait achetée le mois dernier.

1. Il lui a cédé la place qu'il (réserver) . . . la semaine dernière.
2. Félix a revendu à bas prix la collection de timbres qu'il (rassembler) . . . dans sa jeunesse.
3. Elle a retrouvé la bague qu'elle (perdre) . . .
4. Elle a pris une cigarette dans le paquet qui était sur la table, alors qu'elle (décider) . . . de ne plus fumer.
5. Il y est allé alors que je l' (prévenir) . . . du danger.
6. Il pensait souvent aux aventures qu'il (vivre) . . . dans sa jeunesse.

PROPOSITIONS INTRODUITES PAR « QUE » (conjonctives)

15 *Transformez en une seule phrase complexe, les couples de phrases suivants :*

1. Il peut exister une forme de vie sur la planète Mars. Les savants le pensent.
→ Les savants pensent ...

2. Mon frère aîné a raté son bac. Mon père en est désolé.
3. Un ouragan vient de ravager la Jamaïque. La radio l'a annoncé.
4. Tout le monde le sait : Astérix est un personnage imaginaire.
5. Ça ne va pas durer toujours : si tu te l'imagines, tu te trompes !

16 *Dans les phrases suivantes, mettez le verbe entre parenthèses au mode et au temps qui conviennent :*

1. Je crains que tu ne me (*juger*) mal.
2. Nous regrettons que vous (*être obligé*) de partir si tôt.
3. Les puristes interdisant qu'on (*prendre*) des libertés avec la langue.
4. Il est possible que les importations de poisson (*se réduire*).
5. Jeanne-Marie redoutait que son frère ne (*périr*) en mer.

17 *Dans les phrases suivantes, mettez la proposition principale à la forme négative :*

1. Je pense que vous avez raison.
2. Il me semble que l'inflation doit diminuer.
3. Je crois que cet hôtel est confortable.
4. Il pense que le pouvoir d'achat des travailleurs s'accroît.

2. EXERCICES SUR DOCUMENTS

Reiser

Cette image du Français — empruntée d'ailleurs à l'idée que les Anglais se font de nous — Reiser l'utilise dans ses histoires comme un symbole. Le cliché constitue là une façon de désigner le Français moyen en une seule image : béret et baguette de pain. Le lecteur peut identifier immédiatement le personnage.

Extrait de
Anti-manuel de français
Duneton et Pagliono,
Seuil, 1978.

1 *Avant de lire le texte, observez le dessin de Reiser et lisez le contenu des bulles.*

– *Quelle est la nationalité du personnage de Reiser ?*

. . .

– *Quels sont les indices qui vous permettent de le découvrir ?*

. . .

2 *Récrivez les phrases contenues dans les bulles de façon à remplacer les « ON » par ce à quoi ils se réfèrent.*

. . .

3 *Le texte correspond au petit dessin de Reiser.*
Décrivez le personnage en faisant deux phrases, l'une contenant le mot béret, l'autre le mot baguette de pain.

a) . . .
b) . . .

4 *Composez une phrase résumant le texte, en la commençant par le début de votre choix parmi les possibilités suivantes :*

Dans cette vignette, Reiser représente . . .
Reiser nous présente ici . . .
Le petit bonhomme dessiné par Reiser . . .
Pour se moquer un peu des Français, Reiser . . .
Reiser nous montre ici une image . . .

Vocabulaire à retenir

(A vérifier éventuellement dans un dictionnaire)

une image - un symbole - un cliché - le Français moyen - identifier.

①

Rapports avec les Français

Avez-vous l'impression qu'à votre égard les Français sont...

	LATINS	MAGHRÉBINS	ENSEMBLE
Chaleureux	11 %	10 %	11 %
Plutôt agréables	55	39	**48**
Indifférents	29	**35**	**32**
Plutôt hostiles	5	11	7
Agressifs	–	5	2

Tout compte fait, vous sentez-vous bien en France ?

Oui	93 %	71 %	82 %
Non	4	20	12
Sans réponse	3	9	6

②

Discrimination

Dans les différentes occasions suivantes, vous sentez-vous en situation d'égalité avec les Français ?

Horizontalement, le complément à 100 % représente les personnes n'ayant pas exprimé d'opinion.	LATINS		MAGHRÉBINS		ENSEMBLE	
	Oui	Non	Oui	Non	Oui	Non
Dans les magasins	91 %	9 %	76 %	23 %	84 %	15 %
Dans un bureau de poste	86	13	79	21	83	17
A la mairie	84	14	76	20	81	17
Dans les services sociaux	83	15	70	27	77	21
Dans la rue, avec les agents de police	78	21	65	**34**	72	27
Pour trouver un logement	74	25	39	**58**	58	**40**
Pour trouver du travail	77	22	49	**49**	64	35
Pour vos enfants, à l'école	85	15	73	26	81	19

paru dans l'Express

③

LOGEMENT

Avec laquelle de ces opinions êtes-vous le plus d'accord ?

– il est préférable que les travailleurs étrangers habitent des logements dans lesquels vivent également des familles françaises .... **60 %**

– il est préférable que les travailleurs étrangers habitent des logements où ils vivent uniquement entre eux **27**

Sans réponse 13

④

TRAVAIL

Si les immigrés partaient, pensez-vous que les Français accepteraient de faire le type de travail qu'ils font actuellement ?

Oui .... 38 % Non .... 52 Sans réponse 10

1 *Dans cette enquête, quatre sujets ont été abordés :*

① Rapports entre les immigrés et les Français ③ Logement

② Discrimination ④ Travail

Les trois phrases suivantes correspondent à trois de ces quatre sujets. Choisissez :

a. « Dans la vie de tous les jours, nous sommes plus ou moins considérés comme des étrangers »
① ② ③ ④

b. « Il faut bien que les étrangers habitent quelque part ! » ① ② ③ ④

c. « Voici comment se comportent les Français envers nous » ① ② ③ ④

2 *A qui ce sondage donne-t-il la parole ?*

. . .

Information

MAGHREB :

nom donné à l'ensemble des pays du nord-ouest de l'Afrique compris entre la Méditerranée et le Sahara, l'océan Atlantique et le désert de Lybie : le Maroc, l'Algérie, la Tunisie.

L'ALGÉRIE

16 780 000 habitants,colonisée par la France à partir de 1830. Déclarée plus tard « Territoire français », elle fut divisée en 3 départements. Pays indépendant depuis 1962.

Le MAROC

17 500 000 habitants;subit de 1830 à 1932 la pénétration européenne (Espagne - Grande-Bretagne - France - Allemagne) pour passer sous le protectorat de la France entre 1912 et 1956. Indépendant depuis 1956.

La TUNISIE

5 770 000 hab ; sous le protectorat français de 1881 à 1955. Indépendante depuis 1956.

Vous savez maintenant qui sont les Maghrébins et vous comprenez mieux les rapports historiques entre la France et les pays du Maghreb.
Pouvez-vous dire pourquoi il y a une forte immigration maghrébine en France ?

. . .

3 *Placez les mots ci-dessous sous la colonne correspondante en fonction des thèmes auxquels ils se réfèrent.*

habitat - chômeur - espace vital - inégalité - demeurer - exploitation - ségrégation - H.L.M. (habitation à loyer modéré) - racisme - emploi - loyer - différence - ségrégationniste - permis de travail - mouvance sociale - chômage.

DISCRIMINATION	LOGEMENT	TRAVAIL

4 *Classez les adjectifs suivants en deux listes, l'une concernant des conditions de travail favorables, l'autre des conditions défavorables :*

bien payé, pénible, dangereux, fatigant, intéressant, dévalorisant, mal rémunéré, fastidieux, lucratif, répétitif, créatif.

Liste 1 : . . . Liste 2 : . . .

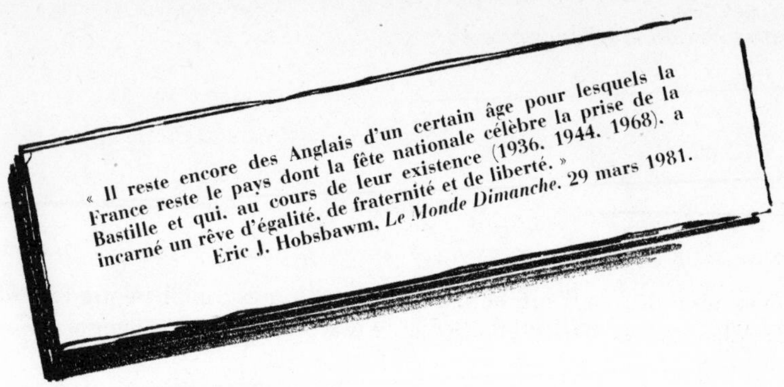
« Il reste encore des Anglais d'un certain âge pour lesquels la France reste le pays dont la fête nationale célèbre la prise de la Bastille et qui, au cours de leur existence (1936, 1944, 1968), a incarné un rêve d'égalité, de fraternité et de liberté. »
Eric J. Hobsbawm, *Le Monde Dimanche*, 29 mars 1981.

1 *Choisissez la réponse correcte*

« Des Anglais d'un certain âge », cela veut dire :

a) d'un âge qu'on ne peut pas déterminer □
b) d'un âge avancé (plus de 50 ans) □
c) d'un âge bien précis (par exemple ceux qui ont exactement 50 ans) □

2 *Faites correspondre les dates avec les événements.*

1968	1 ■	Débarquement allié en Normandie qui aboutit à la Libération de Paris.
1944	2 ■	Arrivée au pouvoir d'une coalition des partis de gauche.
1936	3 ■	Mouvement contestataire contre le régime en place.

Vocabulaire à retenir

A l'analyse, on remarque que (*on s'aperçoit que, il apparaît que*), se comporter, à l'égard de, tout compte fait (*en définitive*), la discrimination, être en situation d'égalité (*ou d'infériorité*), ressentir une différence minime (*une différence sensible*), être (*ne pas être*) d'accord avec l'opinion de.

3. EXERCICES DE VOCABULAIRE

RÉCRITURE 1

Remplacez le verbe en italique par un des quatre verbes suivants selon le sens de la phrase.
incarner - répandre - jouir de - se venger.

Ex. : Vous *représentez* tous nos espoirs
→ Vous *incarnez* tous nos espoirs

1. La vie est courte, *apprécions* les bonheurs les plus simples !
→ . . .
2. Elle est si charmante qu'elle *apporte* la joie autour d'elle.
→ . . .
3. Catherine Deneuve *a interprété* de nombreux personnages à l'écran.
→ . . .
4. Il m'a dit que j'avais mauvaise mine, *j'ai réagi* en lui disant qu'il avait vieilli.
→ . . .

SUFFIXES 1

A partir des mots en caractères gras, vous devez trouver des mots en -isme. *Comment appelle-t-on :*

1. L'école littéraire selon laquelle il faut décrire la **réalité** telle qu'elle est, d'une façon tout à fait objective ? . . .
2. L'attitude passive d'un individu qui, dans ses actions ou dans ses pensées, **se conforme** absolument aux usages et à la tradition ? . . .
3. La doctrine politique qui vise à **l'égalité** absolue en matière politique et sociale ? . . .
4. La doctrine politique qui se soucie avant tout du progrès **social** ? . . .
5. Le choix politique que fait un gouvernement de donner une importance primordiale à l'armée et aux **militaires** ? . . .

RÉCRITURE 2

De l'adjectif au nom ; transformez selon le modèle.

Ex. : Il est *agressif* ; cela lui nuit beaucoup.
→ Son *agressivité* lui nuit beaucoup.

1. Il est très *sociable* ; il plaît à tout le monde.
→ Sa . . . plaît à tout le monde.

2. Ils ont été très *désinvoltes* dans cette affaire ; on le leur a reproché.
→ On leur a reproché leur . . . dans cette affaire.

3. Il a dû abandonner la course, il a été très *déçu* ; cela faisait peine à voir.
→ Il a dû abandonner la course et sa . . . faisait peine à voir.

4. Ses goûts sont tout à fait *conformes* à ceux de ses parents ; cela nous a surpris.
→ La . . . de sa manière de vivre avec ses idées politiques nous a agréablement surpris.

SUFFIXES 2

Complétez la deuxième phrase en utilisant le nom dérivé du verbe : un nom en -ation.

Ex. : On a retrouvé de très anciennes poteries qui étaient parfaitement *conservées.*
→ On a retrouvé de très anciennes poteries en parfait état de *conservation.*

1. Cet enfant est totalement *fasciné* par l'informatique.
→ L'informatique exerce sur cet enfant une totale . . .

2. Dans l'Antiquité, les divinités *s'incarnaient* dans certains animaux.
→ Dans l'Antiquité, certains animaux étaient des . . . divines.

3. Depuis le XIXe siècle, le niveau de vie s'est nettement *élevé* en Europe.
→ Depuis le XIXe siècle, l' . . . du niveau de vie a été très nette.

4. Ce film a été *réalisé* en 1932.
→ La . . . de ce film date de 1932.

RÉCRITURE 3

L'adverbe bien *a différents sens. Précisez-les en choisissant une des expressions équivalentes de la liste suivante :*
beaucoup de - à un bon prix - ce n'est pas quelqu'un d'autre - très gentiment - avec élégance - très.

Ex. : Je vous souhaite *bien* du plaisir.
→ Je vous souhaite *beaucoup* de plaisir.

1. Nous avons été *bien* reçus.
→ . . .

2. Il est *bien* habillé.
→ . . .

3. *Bien* des jours se sont écoulés depuis son départ.
→ . . .

4. Il a *bien* revendu sa voiture.
→ . . .

5. C'est *bien* vous qui avez téléphoné hier soir ?
→ . . .

6. Cet exercice n'est pas *bien* difficile.
→ . . .

LES CONTRAIRES

A l'aide d'une flèche, comme dans l'exemple, reliez chaque phrase à un mot qui soit le contraire de sec.

1. Le climat désertique est un climat sec.	a. aimable
2. Je préfère les vins secs.	b. en crue
3. Le fleuve est à sec.	c. humide
4. Vous avez un cœur sec.	d. lentement
5. Il parle d'un ton sec.	e. être ému
6. Il est parti en cinq sec.	f. tendre
7. Je ne pars pas en vacances parce que je suis à sec (« être à sec » familier)	g. doux
8. Il l'a regardé mourir d'un œil sec	h. avoir de l'argent

RÉCRITURE 4

On emploie très souvent (trop souvent) le verbe DIRE. Vous pouvez être plus précis en remplaçant DIRE par les verbes suivants :
prétendre, expliquer, raconter, annoncer, avouer, exprimer.

Ex. : *Dites-nous* votre opinion en toute franchise.
→ *Exprimez* votre opinion en toute franchise.

1. *Il dit* son histoire à qui veut l'entendre.
→ . . .

2. Pouvez-vous me *dire* pourquoi les Français sont si mal aimés ?
→ . . .

3. Ils ont fini par *dire* qu'ils ignoraient tout de cette affaire.
→ . . .

4. On a toujours *dit* de moi que j'étais maladroit, mais c'est faux.
→ . . .

5. Il vient de nous *dire* une nouvelle surprenante.
→ . . .

4. INFORMATIONS

Présentation du texte d'ouverture, pages 8 à 11.

Les Français vus...

Eh oui, les Français sont vus... peut-être pas par le monde entier mais en tout cas par ceux qui s'intéressent à la France. Ils irritent, ces Français ; ils séduisent aussi. On les envie, on les déteste. On leur trouve des qualités et aussi des défauts. Ce texte, une série d'articles parus dans *le Monde du dimanche,* s'intéresse à la manière dont la France et les Français sont perçus par les Britanniques, les Américains, les Allemands et les Portugais. Après le passage en revue des inévitables clichés, que restera-t-il de ces divers points de vue ? Peut-être un peu plus de compréhension pour une nation qui ne laisse personne indifférent.

Présentation de Rencontres avec, *pages 22 à 24.*

ZELDIN

L'auteur

Universitaire anglais (professeur d'histoire à Oxford), passionnément intéressé par la France et les Français. Principalement connu pour deux ouvrages :

– *L'Histoire des passions françaises* (1973-1977), cinq volumes intitulés « Ambition et Amour », « Orgueil et Intelligence », « Goût et Corruption », « Colère et Politique », « Anxiété et Hypocrisie », où il s'intéresse à l'histoire des mentalités et des sensibilités.
– « *Les Français* » (1983) d'où est extrait le texte suivant.

Le texte

Comment peut-on aimer la France et détester les Français ? Ces Français qui irritent ou déroutent, qu'on trouve superficiels, dont on se méfie, les Français qui se comportent terriblement comme... des Français, tellement ils ressemblent à leurs stéréotypes.
Zeldin, lui, s'intéresse aux gens et non pas à l'idée qu'on se fait généralement des Français. En véritable ethnologue, il abandonne le point de vue « comparatiste » et, plein de patience, il observe, en attendant que tombe le masque et que se révèle enfin l'individu. Il n'y a plus place alors pour les généralisations, les clichés, les stéréotypes. Zeldin rencontre, observe, et cherche à comprendre cette nation « de cinquante millions d'individus ».

DOSSIER 2

DIS-MOI CE QUE TU LIS :
La presse et les médias

AU SOMMAIRE DU DOSSIER 2

- Regards sur la presse en général et la presse française en particulier.
- Interviews de marchands de journaux.
- La crise de la presse écrite qui perd des lecteurs chaque jour, concurrencée qu'elle est par la presse télévisuelle et radiophonique.
- Le rôle de la publicité dans la presse : c'est la publicité plus que les ventes qui maintient en vie la presse écrite.
- En fin de dossier, grandeur et médiocrité du métier de journaliste.

1. EXERCICES DE GRAMMAIRE

LA FORME PASSIVE

1 *Dans la grille ci-dessous, classez les phrases suivantes :*
a) les phrases à forme active.
b) les phrases à forme passive.

1. Évelyne est descendue de l'avion à 12 h 45. – 2. Les heures d'arrivée des avions sont affichées dans le hall. – 3. Je les ai vues affichées. – 4. Ses parents étaient allés à l'aéroport. – 5. Elle est arrivée en même temps qu'un chef d'État africain. – 6. Une cérémonie d'accueil a eu lieu. – 7. Une minute de silence a été observée. – 8. Les troupes ont défilé. – 9. Puis la foule est sortie. – 10. Évelyne et ses parents ont pris un taxi. – 11. Les taxis étaient pris d'assaut.

	1	*2*	*3*	*4*	*5*	*6*	*7*	*8*	*9*	*10*	*11*
a) Forme active											
b) Forme passive											

AVEC ou SANS PASSIF ?

2 *Répartissez les verbes suivants en deux classes : ceux qui ont un passif, et ceux qui n'en ont pas.*

Nager, convaincre, fonder, survenir, adoucir, arroser, plaire, obéir, partir, sourire, récompenser, faiblir, combattre.

INFINITIF ou PARTICIPE PASSÉ ?

3 *Tracez une croix dans la bonne colonne.*

	marché	*marcher*
a) J'aime bien	....	....
b) Je ne suis plus habitué à	....	....
c) A-t-il	....	....
d) Je n'ai plus le temps de	....	....
e) Jusqu'où avez-vous	....	....

	compté	*compter*
a) Il dépense sans	....	....
b) Compter sur ses doigts n'est pas savoir	....	....
c) A-t-il été	....	....
d) Sur qui peut-on	....	....
e) Ce client n'aurait-il pas été	....	....

	étonné	*étonner*
a) Il n'a pas fini de nous	....	....
b) Il était très	....	....
c) Je vais vous	....	....
d) Vous semblez	....	....
e) Il ne faut pas vous	....	....

	crié	*crier*
a) Ils ont envie de	....	....
b) C'est vous qui avez	....	....
c) Chanter n'est pas	....	....
d) C'est elle qui a	....	....
e) Voulez-vous ne pas	....	....

ACCORD

4 *Transformez les phrases suivantes en substituant un sujet féminin singulier au sujet masculin.*

1. Il a été découvert inanimé par ses camarades.
   Elle . . .
2. François a pleuré parce qu'il avait été grondé.
   Françoise . . .
3. Le complot fut étouffé dans l'œuf.
   La révolte . . .
4. Tous les hommes de la ville se sont réunis sur la place.
   Toutes les femmes . . .

LES VOIX : ACTIVE, PASSIVE, PRONOMINALE

5 *Le verbe à la voix pronominale peut en certains cas prendre le sens passif. Exemple :* Les jupes se portent longues cette année. – *Dans les phrases suivantes, remplacez la voix passive par la voix pronominale.*

1. Les tomates sont vendues à un prix exorbitant cet hiver.
2. *Le Lac des cygnes* est donné chaque année au Bolchoï de Moscou.
3. *Hamlet* sera joué l'été prochain au festival d'Avignon.
4. Il n'est pas donné dans cette maison un coup de rasoir, de lancette, ou de piston, qui ne soit de la main de votre serviteur (*d'après Beaumarchais*).
5. Beaucoup de sottises sont proférées dans ce salon.
6. Les dégâts sont évalués à plus de dix millions.

FORME PASSIVE ET NOMINALISATION

6 *Transformez les phrases suivantes selon les modèles :*

1) On *a* encore *enlevé* un enfant.
Un enfant *a* encore *été enlevé*.
Encore *un enlèvement* d'enfant.

2) On *a cambriolé* une succursale de la Société Générale.
Une succursale de la Société Générale *a été cambriolée*.
Cambriolage d'une succursale de la Société Générale.

1. On *a ouvert* un nouveau magasin dans la rue Servan.
. . .
2. Le ministre de la Culture *a inauguré* une exposition Picasso.
. . .
3. La nouvelle direction *réorganise* l'entreprise EDMAR.
. . .
4. On *a aménagé* le carrefour de la route Minervoise.
. . .
5. On *a reboisé* la vallée de l'Orbieu.
. . .

PASSÉ SIMPLE

7 *Répartissez les mots dans le diagramme suivant :*

menu, chalut, relut, bossu, issu, diffus, fus, cru, allée, conduit, nuit, inouï, épanouit.

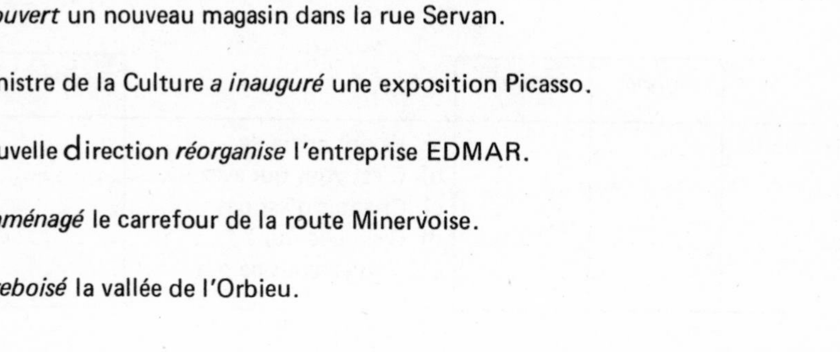

Verbes

Noms ou adjectifs

8 *Dans le texte suivant, mettez les verbes entre parenthèses au passé simple.*

Orage sur l'Escal

A dix heures il (*tonner*) très fort et tout près. Aussitôt, tout autour de moi s'(*aplatir*) de larges gouttes de pluie. Elles (*taper*) sur le sol sec, en claquant. Rares d'abord, elles se (*presser*) bientôt et quelques-unes (*venir*) s'écraser sur ma figure. Un éclair (*partir*) de l'Escal et la foudre (*craquer*) comme un arbre qui éclate. Toute la montagne s'(*illuminer*) d'un coup et un grand vent tiède, lancé au ras du sol, (*soulever*) des tourbillons de poussière et de feuilles. J'(*entendre*) accourir les colonnes de pluie et je (*rentrer*) en courant au mas, où je m'(*enfermer*).

Henri BOSCO, *Le Jardin d'Hyacinthe.*

PASSÉ SIMPLE ou IMPARFAIT

9 *Recopiez les phrases suivantes en mettant les verbes entre parenthèses au passé simple ou à l'imparfait de manière appropriée :*

1. Elle (*rester*) songeuse jusqu'au moment où la cloche du dîner la (*faire*) courir vers la salle à manger (*A. Cohen*).
2. Un jour de Pâques, je (*courir*) au balcon, car j'avais cru que c'étaient les cloches qui (*venir*) d'apporter leurs cadeaux (*M. Leiris*).
3. Elle se (*lever*), (*arpenter*) la chambre, de cette démarche un peu penchée qui la (*faire*) paraître encore plus grande que sa taille (*A. Daudet*).

10 *Dans la colonne de droite écrivez le verbe au temps et à la personne qui conviennent.*

Regardez bien. Tout (commencer) ici. Les Gaulois (construire) dans trois îles, qui aujourd'hui n'en forment plus qu'une la petite ville de Lutèce, qui étendait ses faubourgs sur les deux rives de la Seine. Dès que les habitants se (voir) menacés par une invasion de Romains ou, plus tard, de Barbares, ils se réfugiaient dans leur île, coupaient les ponts et se défendaient. Quand la sécurité (revenir), la ville s'épanouissait à nouveau sur les berges. Quand la Gaule (devenir) chrétienne, des monastères flanquèrent l'île ; ils (donner) leurs noms à des quartiers et à des églises de Paris (A. Maurois).

Réponses

a) ...
b) ...
c) ...
d) ...
e) ...
f) ...

PLUS-QUE-PARFAIT

11 *Complétez en employant le plus-que-parfait.*

1. Comme ils (achever) ... leur repas, ils partirent.
2. Lorsque je suis arrivé, ils ... déjà (partir) ...
3. Je décidai de leur téléphoner car ils (oublier) ... leur valise chez moi.
4. Comment ... ils (faire) ... ? Je me le suis toujours demandé.
5. Elle (partir) ... de chez elle trop tard : elle manqua son train.

2. EXERCICES SUR DOCUMENTS

[1] *Quand le kiosquier dit : « ON se rend bien compte... » il se réfère :*

a. aux vendeurs de journaux et aux lecteurs ☐
b. aux lecteurs ☐
c. à lui-même et à tous les vendeurs de journaux ☐

> « On se rend bien compte, à la vente des journaux, que les gens s'en foutent. Ce qui les intéresse, ce sont les faits divers et les histoires d'amour.
> La vie politique, ils n'en ont rien à faire », dit un kiosquier.
>
> *Presse Actualité*, nov. 83

2 *a) Repérez dans le document les expressions utilisées pour signifier que les gens ne s'intéressent ni aux informations générales ni à la vie politique.*

. . .

b) Les expressions que vous venez de relever sont très familières. Proposez-en des équivalents en français moins familier ..

On se rend compte, à la vente des journaux que les gens . . .

[1] *Document « Petit Journal . »*
Quels sont les éléments du texte (« Un homme coupé en morceaux ») illustrés par l'image ?

. . .

[2] *« Un homme de 60 ans coupé en morceaux.»*
Cet horrible événement s'est déroulé en plusieurs étapes. Indiquez-les en complétant le tableau suivant (lisez bien l'article et observez l'image):

Qui (a fait)	*Quoi*	*Comment*
. . . . . .	*1)* . . .	. . .
	2) . . .	. . .
	3) . . .	. . .
	4) . . .	

[3] *Complétez ce texte.*

Un homme de 60 ans . . . par son frère et sa belle-sœur. Ils . . . en morceaux avec une . . . ils . . . bouillir dans une marmite et ils . . . en pâture aux porcs.

- Recette (n.f.) : Total des sommes d'argent reçues.
- La publicité assure la plus grosse partie des recettes des magazines ; sans elle, ceux-ci ne pourraient pas survivre.
- Pour protester contre la réduction de leurs recettes publicitaires, certains magazines ont lancé une campagne qui consistait à insérer dans leurs numéros 3 pages blanches, c'est-à-dire 3 pages où il n'y avait rien d'écrit.

NON A L'UNIFORMITÉ.

Trois pages blanches.

Trois pages blanches choquantes dans les magazines français de cette semaine.

C'est un symbole, un refus, une alerte.

C'est la négation même de notre mission qui est de vous informer et de vous divertir.

Trois pages blanches pour refuser l'uniformité qui nous guette. Et pour affirmer plus que jamais que notre diversité est la garantie de votre liberté de choisir.

Trois pages blanches pour vous dire que les moyens d'existence de la presse magazine sont menacés : ses recettes publicitaires sont en danger, alors que dans le même temps, la télévision se voit accorder le droit d'augmenter les siennes.

En effet, des pages de publicité en moins dans votre magazine, c'est vous enlever des pages d'informations, de reportages ou de photos.

C'est condamner la Presse Magazine à un langage uniforme et ses lecteurs à une même façon de réfléchir, de se détendre, de s'informer.

Triste uniformité d'une Presse Magazine qui ressemblerait à la télévision. La télévision qui veut s'adresser à tout le monde et oublie que vous êtes unique.

C'est tout cela que veulent dire nos trois pages blanches. Vous dire que nous nous engageons à préserver en toute indépendance ce droit essentiel : la liberté de choisir.

Car, sans elle, toutes les pages de ce magazine risquent un jour d'être blanches.

OUI A LA PRESSE MAGAZINE.

1 *Complétez la fiche suivante concernant cette campagne de protestation.*

CAMPAGNE CONTRE LA RÉDUCTION
DES RECETTES PUBLICITAIRES
DE LA PRESSE MAGAZINE

- Durée :
- Objectif :
- Moyen de protestation :
- Slogan :

2 *« TROIS PAGES BLANCHES »*

Le journaliste explique ce que représentent ces trois pages blanches, sous forme de DÉFINITION (« c'est ... ») et de FINALITÉ (« Pour ... »).

Complétez le tableau suivant en relevant ces explications.

TROIS PAGES BLANCHES

DÉFINITION	FINALITÉ
1. C'est ... 2. C'est ...	1. Pour ... 2. Pour ... 3. Pour ...

3 *Parmi les verbes ci-dessous, certains se rapportent plus directement aux fonctions du journaliste et d'autres aux activités du lecteur. Classez-les en 2 listes.*

s'informer - informer - divertir - se distraire - se détendre - choisir (un article) - garantir (la liberté du choix) - réfléchir - mettre au courant - se mettre au courant.

Liste 1 : Les fonctions du journaliste : . . .
Liste 2 : Les activités du lecteur : . . .

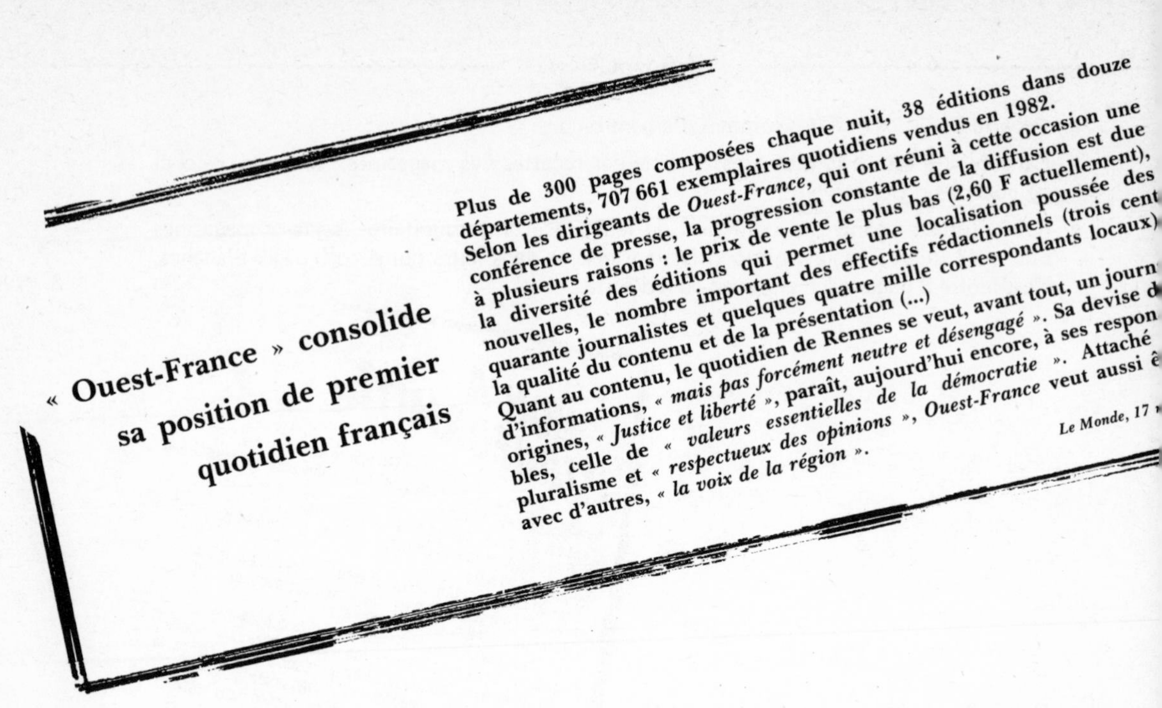

« Ouest-France » consolide sa position de premier quotidien français

Plus de 300 pages composées chaque nuit, 38 éditions dans douze
départements, 707 661 exemplaires quotidiens vendus en 1982.
Selon les dirigeants de *Ouest-France*, qui ont réuni à cette occasion une
conférence de presse, la progression constante de la diffusion est due
à plusieurs raisons : le prix de vente le plus bas (2,60 F actuellement),
la diversité des éditions qui permet une localisation poussée des
nouvelles, le nombre important des effectifs rédactionnels (trois cent
quarante journalistes et quelques quatre mille correspondants locaux)
la qualité du contenu et de la présentation (...)
Quant au contenu, le quotidien de Rennes se veut, avant tout, un journ
d'informations, « *mais pas forcément neutre et désengagé* ». Sa devise d
origines, « *Justice et liberté* », paraît, aujourd'hui encore, à ses respon
bles, celle de « *valeurs essentielles de la démocratie* ». Attaché
pluralisme et « *respectueux des opinions* », *Ouest-France* veut aussi ê
avec d'autres, « *la voix de la région* ».

Le Monde, 17

1 *Complétez la fiche suivante sur le quotidien dont il est question dans cet article.*

TITRE DU QUOTIDIEN : . . .

TIRAGE : . . .

NOMBRE D'ÉDITIONS : . . .

NOMBRE DE DÉPARTEMENTS DANS LESQUELS IL EST DIFFUSÉ : . . .

PRIX DE VENTE : . . .

EFFECTIFS RÉDACTIONNELS : . . . JOURNALISTES
CORRESPONDANTS LOCAUX

2 *Complétez ce résumé du document.*

Grâce à son prix de vente, . . . , . . . , et . . . ,
« Ouest-France » occupe aujourd'hui la première
. . . parmi les . . . français.

Vocabulaire

Faire ses preuves : montrer sa valeur / ses capacités.

Atout (n.m.) : mot emprunté au vocabulaire des jeux de cartes. Carte qui a la plus forte valeur / Sens figuré : moyens permettant de réussir, avantages.

Jouer la carte de : Expression utilisée dans les jeux de cartes.
Sens figuré : essayer de réussir en se servant d'une stratégie, d'un argument, d'un fait / Tirer parti de, exploiter.

Transistor (n.m.) : Poste de radio portatif. L'auditeur peut donc se déplacer tout en écoutant la radio.

Radio : les effets de la concurrence

C'est dans le domaine de l'information et des variétés que la radio a eu l'occasion de faire ses preuves. Ses atouts majeurs sont sa grande souplesse et le fait qu'elle laisse à l'auditeur une liberté de manœuvre, qui est refusée au téléspectateur mobilisé devant l'écran. Elle joue donc au maximum la carte du transistor, de l'écoute individuelle, de la variété des programmes et d'une diffusion continue vingt-quatre heures sur vingt-quatre.

Publication de la maison de la Radio.

1 *Relevez les mots qui appartiennent au vocabulaire des moyens de communication (radio - télé). Placez dans le cercle A ceux qui relèvent de l'univers radiophonique, dans le cercle B ceux qui relèvent de l'univers télévisuel et dans l'intersection ceux qui concernent les deux médias.*

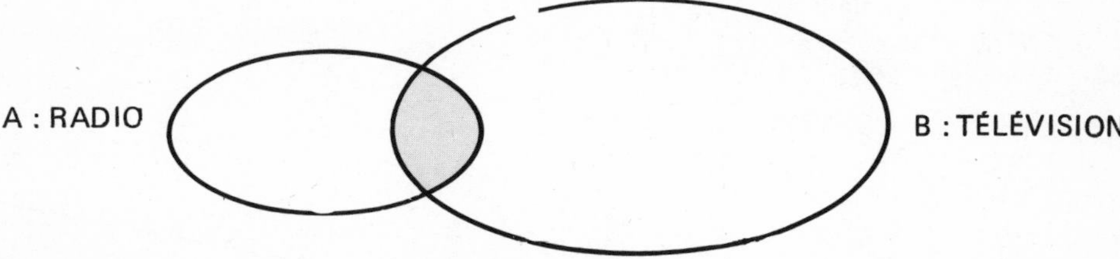

2 *A votre tour, écrivez un court texte qui mette en évidence les atouts de la télévision.*
...

1 *Vrai ou faux ?*

VAR MATIN RÉPUBLIQUE est :

- ☐ a. un quotidien national
- ☐ b. un quotidien régional
- ☐ c. un quotidien de la région du Sud-Ouest
- ☐ d. un quotidien de la région de Provence

2 Mini-test

mini-test

Quelqu'un que vous connaissez vous dit (sans que vous lui ayez rien demandé) :

« MOI, JE LIS VAR MATIN RÉPUBLIQUE »

Qu'est-ce que vous lui répondez :

A. Et alors, qu'est-ce que ça peut me faire ! □

B. Ah bon ! Je ne savais pas. □

C. Toi, toujours moi, je moi, je ...
Tu ferais mieux de penser un peu aux autres. □

D. Lequel ? □

Résultats du test

- *Si vous avez répondu* □ A □ B □ C ou □ D c'est que vous êtes du genre « poli », toujours prêt à répondre gentiment, même si votre interlocuteur vous semble bizarre. Vous êtes gentil.
- *Si vous avez répondu* □ A □ B □ C ou □ D c'est que vous ne vous gênez pas pour dire aux autres ce que vous pensez d'eux. Vous êtes direct.
- *Si vous avez répondu* □ A □ B □ C ou □ D c'est que vous n'écoutez pas ce qu'on vous dit. Vous êtes distrait.
- *Si vous avez répondu* □ A □ B □ C ou □ D ce que dit l'autre vous importe peu. Vous êtes méprisant.

3. EXERCICES DE VOCABULAIRE

LE MOT JUSTE

Ex. : concurrence - rivalité.

a. Les petits commerçants ont beaucoup souffert de la *concurrence* que leur font les grandes surfaces.

b. Ils étaient amoureux de la même femme mais leur amitié n'a jamais souffert de cette *rivalité* amoureuse.

1 *Évolution - changement.*

a. Vous avez quitté le quartier il y a très longtemps, vous ne reconnaîtrez plus rien quand vous reviendrez ; il y a eu beaucoup . . . .

b. Le singe est-il ou non une étape de notre . . . ?

2 *Synthèse - résumé.*

a. Vous avez discuté des avantages et des inconvénients d'une nouvelle méthode et dans votre . . . vous concluez à l'utilité ou à l'inutilité de cette méthode.

b. Votre ami n'a pas assisté au début du film, vous le lui racontez en quelques mots ; grâce à votre . . . il pourra suivre le film.

3 *Analyse - étude.*

a. Depuis quelques mois il s'est remis à l' . . . du piano, ce qui ne fait pas le bonheur de ses voisins.

b. Quand vous distinguez dans une phrase le sujet, le verbe, le complément, vous en faites l' . . . .

4 *Authentique - vrai.*

a. Il passe pour être avare, or ce n'est pas . . . , il aide toute sa famille.

b. Ils ont dans leur collection une statuette grecque . . . qui date de 1500 ans avant J.-C.

5 *Complexe - compliqué.*

a. Il m'a raconté une histoire très . . . à laquelle je n'ai rien compris.

b. Expliquer les origines d'une guerre est toujours une affaire . . . car plusieurs facteurs entrent en jeu.

LE PRÉFIXE MONO-

Complétez suivant le modèle.

Ex. : Une photo en couleurs est *polychrome* - une photo en noir et blanc est *monochrome.*

1. Deux personnages dans un *dialogue.*	- Un personnage parle seul dans un . . . .
2. Un *polygame* est marié à plusieurs femmes.	- En Occident, les hommes sont, en général, ...
3. Les *polysyllabes* sont des mots de plusieurs syllabes.	- « oui », « non », « ah » sont des . . . .
4. Dans un avion *biplace* il n'y a que deux places.	- Il n'y a qu'une seule place dans un . . . .
5. Les Grecs anciens adoraient plusieurs dieux, ils étaient *polythéistes.*	- Les Chrétiens n'adorent qu'un seul dieu, ils sont . . . .

SUFFIXES

Les noms en -TÉ. Complétez suivant les modèles.

adjectif		*nom*
Ex. : Un coureur *rapide*	→	la *rapidité* du coureur
1 des lecteurs *fidèles*	→	
2 un tableau *authentique*	→	
3 une presse *multiple*	→	
4 un problème *actuel*	→	
5 une question *difficile*	→	
Ex. : Des journalistes *honnêtes*	←	l'*honnêteté* des journalistes
1	←	la *simplicité* d'un problème
2	←	la *complexité* d'une question
3	←	la *crédibilité* d'une information
4	←	la *proximité* du danger
5	←	la *popularité* d'un chanteur

RÉCRITURE 1

Récrivez les phrases suivantes en remplaçant l'expression en italique par un verbe synonyme.
éveiller - effrayer - répandre - persuader - prolonger - imposer - appartenir à - se rappeler - expliquer.

Ex. : l'école devrait *faire naître* le goût de la lecture.
→ l'école devrait *éveiller* le goût de la lecture.

1. Je n'ai pas voulu lui *faire peur.*
→ . . .
2. Il veut *faire durer* la discussion.
→ . . .
3. Il faut *faire savoir* au public les raisons de cette grève.
→ . . .
4. Elle ne *fait* plus *partie* de l'équipe.
→ . . .
5. Les journaux ont *fait courir* le bruit de ses fiançailles.
→ . . .
6. Tu veux me *faire croire* que tu as raison.
→ . . .
7. Pourquoi *faire renaître* les mauvais souvenirs ?
→ . . .
8. Le président tenait à *faire accepter* son projet.
→ . . .

SYNONYMES 1

Le mot « faible » (nom ou adjectif) peut avoir plusieurs sens. Retrouvez-les en reliant les phrases dans lesquelles il est utilisé aux expressions synonymes.

A			B
Ex. J'ai le cœur faible.	•	•	a. une préférence
1. Je ne suis qu'une faible femme.	•	•	b. insuffisants
2. Ils font partie des économiquement faibles.	•	•	c. j'aime beaucoup
3. Vous êtes trop faible avec cet enfant.	•	•	d. fragile
4. Vos résultats sont trop faibles.	•	•	e. pâle
5. Il a un faible pour son fils aîné.	•	•	f. trop gentil
6. La pièce était éclairée d'une faible lumière.	•	•	g. pauvres
7. Ce n'est pas bon pour la santé, mais j'ai un faible pour le chocolat.	•	•	h. sans défense

RÉCRITURE 2

Récrivez les phrases de façon à utiliser un adverbe.

Ex. : Il vous sera *facile* de *faire* cet exercice.
→ Vous *ferez facilement* cet exercice.

1. Vous avez été très *rapide* pour *achever* ce travail.
→ . . .
2. Il *est amoureux* d'une façon *passionnée.*
→ . . .
3. Nous ne pouvons pas *rester* ici un temps *indéfini*.
→ . . .
4. Son *refus* a été *instantané.*
→ . . .
5. Son *analyse* de la situation a été *brillante.*
→ . . .
6. Cette expression n'est plus *utilisée* dans le langage *courant.*
→ . . .
7. Tu lui *écris* une lettre par an, ce n'est pas *suffisant.*
→ . . .
8. Il nous a donné de *savantes explications* sur le fonctionnement du moteur.
→ . . .
9. C'est *étonnant* comme il *a grossi* depuis son mariage !
→ . . .

SYNONYMES 2

Reliez deux à deux les adverbes synonymes.

Ex. : Il s'est battu très *courageusement*

1. Vous ne le ferez pas parler *facilement*
2. Ils sont venus très *vite*
3. Je vous suis *très* reconnaissant
4. Elle les a *beaucoup* complimentés
5. Je lui reproche beaucoup de choses, *particulièrement* son égoïsme
6. Il répète *aussitôt* tout ce que je dis.

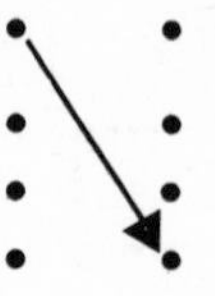

a. aisément
b. instantanément
c. notamment
vaillamment
d. rapidement
e. infiniment
f. abondamment

4. INFORMATIONS

Présentation du texte d'ouverture, pages 32-33.

UNE PRESSE MULTIPLE

Quel beau métier que celui de journaliste ! Ce texte s'adresse à tous ceux que concernent la presse et les médias, c'est-à-dire à tout le monde. Journal lu (quotidiens, hebdomadaires, journaux spécialisés) mais aussi journal parlé (radio) accompagné du « choc de l'image » (télévision), la presse est bel et bien multiple.

Présentation de Rencontre avec..., *pages 46 à 49.*

ALBERT CAMUS (1913-1960)

L'auteur.

Prix Nobel de littérature en 1957.
Mondialement connu tant par ses romans, son théâtre et ses essais que par sa carrière de journaliste engagé, philosophe et humaniste, Albert CAMUS fut un des maîtres à penser de l'après-guerre. Angoisse et révolte, refus de la médiocrité sont les thèmes dominants de son œuvre.
Quelques œuvres:
Romans : *L'Étranger* (1942), *La Peste* (1947), *La Chute* (1956).
Théâtre : *Le Malentendu, Caligula* (1944).
Essais : *Le Mythe de Sisyphe* (1942), *L'Homme révolté* (1951).

Le texte

Fait partie d'un recueil d'articles (1939-1958) publiés sous le titre « Actuelles ».
Deux phrases clés dans ce texte : « Quand les élites trahissent, les sociétés meurent ». « Tout ce qui dégrade la culture raccourcit les chemins qui mènent à la servitude » (Camus combattit également le nazisme et le stalinisme) ; des expressions lourdes de sens : « une presse déshonorée », « refuser la compromission », « une sale complicité » : c'est le Camus journaliste qui nous parle, un Camus révolté, comme il l'a toujours été, qui s'attaque ici à la bassesse et à la médiocrité de la presse de l'après-guerre, peut-être une certaine presse, la presse à sensation, celle des gros tirages. Son langage est à la fois celui de l'homme engagé et du moraliste.

APPELER UN CHAT UN CHAT, page 48.

Cette expression signifie « parler franc ». Le point de vue de l'auteur (G. Cravenne) est que le métier de journaliste est fait pour informer. Il s'indigne d'une pratique courante dans la presse qui consiste, au nom d'une prétendue indépendance du journaliste par rapport à la publicité, à parler d'une chose sans la nommer vraiment, à « se cacher derrière son petit doigt », à faire des périphrases. Hypocrisie, dit-il. D'autant qu'il y a souvent des exceptions à cette règle. Ainsi, on citera facilement l'éditeur d'un livre, mais on taira pudiquement (au nom de quoi ?) le nom d'une marque de champagne. Il conclut en accusant une certaine presse de « sous-informer » son public de lecteurs.

Tristan TZARA

L'auteur

Écrivain français d'origine roumaine (1896-1963), il identifiait révolte poétique et révolution sociale. Le mouvement dada qu'il créa à Zurich en 1916 se présente comme une réaction violente de la jeunesse intellectuelle européenne face à une guerre jugée inutile et dévastatrice. Tzara et ses amis (Breton, Éluard, Soupault) se donnent pour but de détruire toutes les valeurs esthétiques, morales, philosophiques et religieuses sur lesquelles reposent les sociétés occidentales. Répondre à l'incohérence par l'absurde, tel fut l'objet du *Manifeste Dada* paru en 1918.

L'œuvre

Critique nihiliste du langage et de toute réalité. Poésie provocatrice qui dénonce par l'absurde toutes les incohérences du monde.

Vingt-Cinq Poèmes (1981), *De nos oiseaux* (1929), *L'Anti-Tête* (1933), *Le Cœur à gaz* (1938), *Midis gagnés* (1939).
Après la Deuxième Guerre mondiale, il renonce aux aspects les plus provocants de son action : *Entre-Temps* (1946), *De mémoire d'homme* (1951), *La Face intérieure* (1954), *Le Fruit permis* (1957), *La Rose et le Chien* (1958).
« Pour faire un poème dadaïste » est un poème qui illustre bien la tentative de Tzara de « déstructurer » le média qu'est la presse.

DOSSIER 3

L'ADDITION, S'IL VOUS PLAIT :
Les Français et la table

AU SOMMAIRE DU DOSSIER 3

Sur ce qui semble être le cliché le plus répandu concernant la France (« La Gastronomie »), ce dossier est fait de contrastes.

- Déjà, le texte d'ouverture soulève la plupart des problèmes, y compris diététiques.
- L'interview est celle d'un véritable amateur de gastronomie, un de ceux qui consacrent à cet art du temps et de la patience, la patience et le temps d'aller se procurer où il faut les produits qu'il faut, le temps et la patience de préparer les aliments avec recherche et précision. Il pense, lui, qu'on peut encore bien manger pour pas trop cher.
- La page « Regards » attirera notre attention sur les dangers de certains excès alimentaires (viande et alcool en particulier), reprenant ainsi les divers cris d'alarme de la presse, cités page 57.
- Pour conclure, les textes littéraires de la fin du dossier évoqueront l'art de la table et les bonnes manières de façon encore une fois contrastée puisqu'au raffinement de Madame Barrault (personnage réel) et de Madame Moreau (personnage fictif) s'opposera la gloutonnerie vulgaire autour de la table de Gervaise.

1. EXERCICES DE GRAMMAIRE

L'INTERROGATION

1 *Récrivez chacune des phrases suivantes en utilisant au moins deux autres tournures interrogatives :*

1. Tu vois cette lumière dans les arbres ?
2. Comment vous appelez-vous ?
3. Tu viens d'où ?
4. Que cherchez-vous ?
5. La séance commence à quelle heure ?

2 *Transformez les interrogations directes qui suivent en propositions subordonnées interrogatives. Vous emploierez, au choix, les tournures suivantes :* Dites-moi..., Pouvez-vous me dire...

1. Où est la rue des Halles, s'il vous plaît ?
2. Quelle est la route la plus directe pour gagner Le Puy ?
3. Mon fils a-t-il des chances de passer en quatrième ?
4. La Comédie-Française, vous savez où ça se trouve ?
5. Pourquoi papa fait-il cette tête-là ?

3 *Transformez les interrogatives directes en subordonnées interrogatives (ou interrogations indirectes) :*

1. Elle lui demanda : « A qui tenez-vous le plus : à Jacques ou à moi » ?
2. Et je t'ai demandé : « Qui l'a inventée » (d'après F. Arrabal).
3. A-t-il bientôt fini de jouer avec la lumière ? pensait Lafcadio impatienté (A. Gide).
4. Solal lui demande avec politesse : « Savez-vous faire le grand écart ? » (d'après A. Cohen).
5. Portait-elle une voilette ? Je ne saurais le dire (d'après A. Chamson).

EFFETS EXPRESSIFS

4 *Les effets expressifs de la phrase interrogative : politesse, impatience, surprise, insistance, anxiété, etc. Indiquez la valeur affective des phrases suivantes :*

1. Puis-je me permettre d'entrer ? — 2. Mais quand donc auras-tu fini de faire ce tintamarre ? 3. Voudriez-vous me donner l'heure, s'il vous plaît ? — 4. Vous nous laisserez entrer, dites ? 5. La course aux armements trouvera-t-elle une fin pacifique ? Les grandes puissances finiront-elles par s'entendre ? Réussirons-nous à préserver le monde d'une guerre exterminatrice ? Ou bien est-ce un massacre universel qui se prépare ? 6. Jusqu'à quand abuserez-vous de notre patience ? 7. Vous avez construit votre maison tout seul ?

Effet	Phrase n°
anxiété	
impatience	
insistance	
politesse	
surprise	

DISCOURS DIRECT / DISCOURS INDIRECT

5 *Transformez le discours direct en discours indirect (avec la conjonction* que*).*

Ex. : Nous passerons la nuit dans l'auberge, déclara le chef du groupe.
→ Le chef de groupe déclara qu'ils passeraient la nuit dans l'auberge.

1. Il pensa : je vais me faire pincer les doigts (R. Vailland).
2. Elle criait : « On a tiré sur M. Jaurès ! » (R. Martin du Gard).
3. « Je pourrais maintenant monter à ma chambre, dit-il. Mais je ne connais pas le chemin » (Vercors).
4. « Je ne pourrai plus remettre les pieds dans cette maison », songea-t-il (J.-P. Sartre).

6 Je sais qu'il viendra.
Je savais qu'il viendrait.
Sur ce modèle, transformez les phrases suivantes :

1. On espère que le beau temps viendra.
2. Le chef prétend que le nouvel apprenti réussira son C.A.P.
3. Je crois que tu courras plus vite que les autres.
4. Je sais que vous ferez tout votre possible pour réussir.
5. Tu t'imagines que je saurai me débrouiller seul ?

LE FUTUR ANTÉRIEUR

7 *Complétez les phrases suivantes en utilisant les verbes entre parenthèses.*

Exemples :
– Quand nous quitterons Montpellier, notre fille *aura terminé* ses études.
– Nous *aurons parcouru* plus de cinq mille kilomètres, lorsque nous arriverons.

1. Les passagers pourront sortir dès qu'ils (*passer*) . . . le contrôle de la douane.
2. Non, Damien ne sortira pas tant qu'il (*ne pas finir*) . . . ses devoirs.
3. Ils n'occuperont cet appartement qu'à partir du moment où Madame et Monsieur Martin (*déménager*) . . .
4. Non, tu conduiras une voiture quand tu (*passer*) . . . ton permis !
5. Il louera sa maison quand il (*terminer*) . . . les travaux.
6. Il préparera le repas lorsqu'il (*repasser*) . . . ses chemises.
7. Je te le dirai quand j'(*lire*) . . . le journal.
8. Je serai satisfait lorsque j'(*achever*) . . . ce travail.

8 *Complétez à votre guise les phrases suivantes, en utilisant le futur antérieur de l'indicatif :*

1. Lorsque . . . , nous monterons la tente.
2. Dès que . . . , tu me téléphoneras.
3. Après que . . . , la cathédrale restera illuminée.
4. Quand . . . , la fanfare municipale donnera un concert sur l'esplanade.

TEMPS DU PASSÉ ET FUTUR DANS LE PASSÉ

9 *Complétez les phrases suivantes en utilisant les verbes entre parenthèses.*

Exemples :
– Enfant, elle *imaginait* qu'elle *serait* professeur de russe.
– Il *avait affirmé* qu'il *serait* candidat aux élections.

1. Elle avait dit qu'elle (*venir*) . . . avec nous au cinéma.
2. C'est sûr, il a pensé que nous (*céder*) . . . à son chantage.
3. Olivier pensait que nous (*continuer*) . . . à vivre à Valence.
4. Michel a longtemps cru que nous lui (*dévoiler*) . . . notre secret.
5. Avant de partir, il avait déclaré qu'il (*revenir*) . . . avec une autorisation signée.
6. Je t'avais bien dit que je (*venir*) . . . te chercher pour aller au bal.
7. Tu nous avais promis que tu (*travailler*) . . . en notre absence.
8. Nous avions tous pensé que tu (*abandonner*) . . . la course avant le vingtième kilomètre.

10 *Les verbes en caractères gras sont au futur. Pour obtenir le futur dans le passé, il suffit de mettre le verbe principal au passé.*

Ex. : Il sait qu'elle **va grandir** et que chaque saison **amènera** un progrès.
→ Il savait qu'elle allait grandir et que chaque saison amènerait un progrès.

1. Je me dis parfois que nous **serons** emportés dans une crise dont nous **aurons** le plus grand mal à sortir.
2. Le Président avertit les ministres qu'ils ne **devront** plus faire de confidences indiscrètes aux journalistes.
3. Je suis sûr que ton mal de tête se **passera** si tu prends un demi-comprimé.
4. On dit que les États-Unis et l'U.R.S.S. **ouvriront** des négociations sur la réduction des armements.

INVERSION DU SUJET

11 *Transformez les phrases suivantes en plaçant en tête les adverbes ou locutions adverbiales en italique.*

1. Il est *à peine* levé qu'il se met déjà au travail.
2. Avec beaucoup d'habileté, vous obtiendrez *peut-être* son pardon.
3. Tu sais *sans doute* qu'Alexandre est marié depuis trois mois.
4. Il faudrait *au moins* que nous retardions notre voyage de deux jours.
5. Elle ne m'écoutera pas, *aussi bien.*

indices

RESTAURANTS. En 1983, les 120 000 restaurants français ont servi 1,8 milliard de repas et encaissé 90 milliards de francs au total. Ils n'étaient que 80 000 en 1982 à servir 3,2 milliards de repas pour une addition totale de 70 milliards de francs. A noter que le prix moyen d'un repas est de 50 francs dans une fourchette de 27 à 600 francs.

1. *Complétez le tableau suivant :*

La Restauration en France

	Nombre de restaurants français	*Recettes*	*Nombre de repas servis*
1982			
1983			

2. *Complétez les phrases par les éléments qui conviennent.*

1. Depuis 82, le nombre de restaurants français . . . 40 000.
2. En un an, il s'est produit une . . . de 20 milliards de francs dans les recettes des restaurants français.
3. Le nombre de repas servis dans les restaurants français a . . . en 1983 par rapport à 1982.

LES FRANÇAIS ET LA CUISINE
Sondage L'Express/Gallup-Faits et Opinions

La gastronomie

Pour vous, la gastronomie...

... est un des grands plaisirs de la vie	30 %
... est un plaisir sans plus	51 %
... ne vous intéresse pas	18 %
Sans réponse	1 %

Diriez-vous que vous-même, ou votre conjoint consacrez trop de temps, juste ce qu'il faut ou pas assez de temps à faire la cuisine.

Trop de temps	10 %
Juste ce qu'il faut	65 %
Pas assez de temps	24 %
Sans réponse	1 %

La cuisine française...

Y a-t-il, selon vous, un pays dans le monde où l'on mange mieux qu'en France ?

Non	77 %
Oui	8 %
Sans réponse	15 %

1. *Faites correspondre chaque mot avec sa définition.*

1. GASTRONOMIE	a. Art de préparer des plats.
2. CHEF	b. Art de la bonne chère.
3. CUISINE	c. Personne qui aime et apprécie la bonne chère.
4. GASTRONOME	d. Personne qui est à la tête de la cuisine d'un restaurant.

2. *Mini-dialogue*

— Combien de temps consacrez-vous à faire la cuisine ?
— Trois heures ?
— *A mon avis*, vous y consacrez *trop de* temps.

Sur le modèle du mini-dialogue ci-dessus, continuez les dialogues suivants. N'oubliez pas d'utiliser une formule introduisant votre opinion (ex. : « à mon avis ») et une expression évoquant la quantité (« Trop de... », « peu de... », « pas assez de... » ou « juste ce qu'il faut »).

A. — Combien de temps il vous faut pour déjeuner à midi ?
— 5 minutes, pas plus.
— Excusez-moi, mais . . .

B. — Faire vos courses, ça vous prend combien de temps ?
— Oh ! Une heure, une heure et demie, en moyenne.
— Vraiment ? . . .

C. — Faire la cuisine vous demande beaucoup de temps ?
— Ne m'en parlez pas ! Je passe au moins trois heures par jour dans ma cuisine rien que pour un repas ordinaire.
— Je ne voudrais pas vous vexer mais . . .

3 *Marquez d'une croix les réponses correctes.*

LES FRANÇAIS ET LA CUISINE, le sondage révèle que :

1. La majorité des Français est passionnée de gastronomie. ☐
2. La plupart des Français considèrent que la gastronomie est un plaisir comme un autre. ☐
3. Une minorité se montre indifférente à la gastronomie. ☐
4. Les Français, dans leur majorité, passent beaucoup plus de temps qu'il ne faut à faire la cuisine. ☐
5. Le plus grand nombre des Français consacre à la cuisine le temps nécessaire. ☐
6. Presque 25 % des personnes interrogées estiment qu'elles mettent trop de temps pour faire à manger. ☐
7. Pour la plupart des Français, il n'y a rien de mieux au monde que leur cuisine. ☐
8. Un petit nombre de gens considèrent que la cuisine française est la meilleure qui existe sur la planète. ☐

DIS-MOI CE QUE TU MANGES...

« Dis-moi ce que tu manges... je te dirai qui tu es. » Si ces propos de Brillat-Savarin paraissent peu sérieux, par contre l'on peut sans crainte déclarer aujourd'hui : « Dis-moi ce que tu manges... je te dirai ce que tu seras. » Ce n'est un secret pour personne, nos contemporains mangent trop et mal. Conséquences : la population française compte aujourd'hui 2 % de diabétiques, 10 % d'hyperlipoprotéinémiques (excès de graisses) et 20 % d'obèses. Ainsi, plus du tiers des Français creusent-ils, sans en avoir jamais conscience, « leur tombe avec leurs dents ». Quatre décès sur dix sont dus aux maladies cardio-vasculaires !

Extrait du bulletin de la M.G.E.N.

Information

Brillat-Savarin : gastronome français (1755-1826), auteur de la « Physiologie du goût » (1826).

M.G.E.N. : Mutuelle Générale de l'Éducation Nationale.

1 Quand l'auteur de ce texte dit : « ces propos de Brillat-Savarin *paraissent* peu sérieux », il veu[t] signifier que :

- □ a) ils ne sont pas du tout sérieux.
- □ b) ils donnent l'impression d'être peu sérieux.
- □ c) ils sont peu sérieux.

2 *Relevez les mots appartenant au vocabulaire des maladies.*

. . .

Nous mangeons trop de viande. La France en est le plus gros consommateur d'Europe, avec 104 kg par habitant et par an (en moyenne 280 g par jour), et quatrième mondial après l'Australie (124 kg), les États-Unis (118 kg) et la Nouvelle-Zélande (117 kg). Une telle consommation, qui a doublé depuis cinquante ans, dépasse largement les besoins physiologiques, inférieurs à 100 g par personne et par jour.

(Marie Claire, *janv. 84.*)

1 « Nous *mangeons trop de viande* ».
« Nous » c'est-à-dire :

- a. Les êtres humains. □
- b. Les Occidentaux. □
- c. Les Français. □

2 *Récrivez l'article sous forme de tableau.*

LA CONSOMMATION DE VIANDE EN FRANCE

- 1930[1] : ... kg par habitant et par an.
  ... g par ... et par ... .
- 1984 : 104 kg ... et ... .
  280 g ... et ... .
- ... consommateur de viande d'Europe.
- Quatrième ... mondial.

1. Il y a 50 ans.

1 *Faites correspondre chaque mot avec sa définition.*

a. s'alcooliser	1. Qui boit trop d'alcool.
b. (une personne) alcoolique.	2. Qui contient de l'alcool.
c. alcoolisé	3. Abus des boissons alcooliques entraînant un certain nombre de troubles.
d. (une boisson) alcoolique	4. contenant de l'alcool.
e. alcoolisme	5. (fam.). Abuser des boissons alcooliques, s'enivrer.

Vocabulaire

- *Dresser le constat d'une situation : Décrire une situation / constater l'état des faits.*
- Spiritueux : boisson contenant une forte proportion d'alcool.
- Cirrhose du foie : maladie qui atteint les personnes alcooliques.
- Pour parler d'un sondage : on constate, on remarque, les chiffres témoignent de, en moyenne, doubler, tripler, selon un sondage, à en croire le résultat d'un sondage, à noter que, il faut souligner que, les statistiques prouvent que, d'après des prévisions.

2 *Liquides*

a) Dans chacune des cinq phrases où apparaît le mot « consommation », il est question d'un liquide, d'une boisson que les Francais consomment. Quelles sont ces boissons ?

a. ... *b.* ... *c.* ...
d. ... *e.* ...

b) Laquelle de ces boissons est la plus consommée en France ?

...

c) « Quelque 60 % de la consommation » signifie :

- □ – plus de 60 %
- □ – exactement 60 %
- □ – à peu près 60 %

3 *Quelles sont les conséquences directes (18 000 personnes en sont mortes en 1981) et les conséquences indirectes de l'abus d'alcool ?*

a) Conséquences directes.

b) Conséquences indirectes.

CHIFFRES

DRESSANT le constat de la situation actuelle en matière de consommation d'alcool, le secrétaire d'État à la santé a rappelé, hier, quelques chiffres : si la consommation annuelle d'alcool pur, en litre par habitant, a diminué en France, passant de 18 litres en 1952 à 13,7 litres en 1981, la France n'en reste pas moins en tête de la consommation mondiale. Le vin reste grand favori (quelque 60 % de la consommation), mais on constate une redistribution de la consommation en faveur des spiritueux et de la bière.
En 1981, 18 000 décès ont été enregistrés sous les rubriques alcoolisme, psychose alcoolique et cirrhose du foie. Sans compter tous ceux dans lesquels l'alcool joue un rôle indirect (accidents divers, cancers des voies aérodigestives...).

(Le Matin de Paris, *17-2-84*.)

3. EXERCICES DE VOCABULAIRE

LE MOT JUSTE

Complétez en choisissant ou non la personne pronominale.

Ex. : **entraîner - s'entraîner**
a. Il s'entraîne tous les jours pour gagner la course.
b. La crise économique entraîne une augmentation du chômage.
c. Ils sont insupportables, ils s'entraînent tous les deux à faire des sottises.

1. **Réjouir - se réjouir**
a. « Le vin ... le cœur de l'homme. » (Bible)
b. Il a bien raison de ... de son succès.

2. **habituer - s'habituer**
a. Depuis le départ de ses enfants, elle ne ... pas à vivre seule.
b. Il ... son fils à être indépendant.

3. **assurer - s'assurer**
a. Il regarde autour de lui pour ... qu'il n'a rien oublié.
b. Il nous a téléphoné pour ... qu'il viendrait.

4. **voir - se voir**
a. Il ... déjà riche et célèbre.
b. Il ... souvent ses amis.
c. Il ... accusé d'un vol qu'il n'a pas commis.
d. Il ... dans un miroir.

RÉCRITURE 1

Récrivez les phrases en utilisant un synonyme :
accéder à - révéler - masquer - bouleverser.

Ex. : Nous avons *accepté* votre demande.
→ Nous avons *accédé à* votre demande.

1. Il *cache* son inquiétude sous des plaisanteries.
→ ...
2. Nous nous sommes tus assez longtemps. Il faut maintenant lui *dire* la vérité.
→ ...
3. Elle a été très *émue* d'apprendre cette nouvelle.
→ ...
4. Son regard et ses gestes *montraient* sa peur.
→ ...
5. Les révolutionnaires veulent *changer* l'ordre social.
→ ...
6. Il n'a pas pu *arriver* à la 1ère place.
→ ...

OPPOSITIONS

Opposez les verbes deux à deux.

Ex. : manger	• →	• a. manger lentement
1. bouleverser	•	• b. déplorer
2. avaler	•	• c. manger beaucoup
3. grignoter	•	• jeûner
4. se résigner	•	• d. perpétuer
5. se réjouir de	•	• e. interdire
6. se raréfier	•	• f. accepter avec enthousiasme
7. permettre	•	• g. augmenter

EXPRESSIONS IDIOMATIQUES

Replacez les expressions suivantes dans les phrases ci-dessous :

— manger son pain blanc le premier
— avoir mangé du lion
— manger de la vache enragée
— ne pas manger de ce pain-là
— manger à tous les râteliers
— se laisser manger la laine sur le dos.

Ex. : On vous fait une proposition malhonnête.
Vous refusez et vous dites : « Je ne mange pas de ce pain-là ! ».

1. Vous avez eu des succès au début de votre entreprise. Maintenant les problèmes commencent. Vous . . .
2. On vous exploite, on vous vole, vous ne dites rien, vous . . .
3. Vous n'êtes pas très honnête et vous cherchez à profiter de toutes les situations, vous . . .
4. Vous vous montrez inhabituellement énergique, on s'étonne, on se demande si vous . . .
5. Il y a quelques années, vous n'aviez pas d'argent, votre vie était difficile et vous étiez obligé de vous priver de tout, vous . . .

RÉCRITURE 2

Récrivez les phrases en utilisant un synonyme du verbe manger.

Ex. : Ils ne *mangent* que des produits frais.
→ Ils ne *se nourrissent* que de produits frais.

avaler - dépenser - se nourrir - consommer - déjeuner (ou dîner) - couvrir.

1. L'enfant *a mangé* son gâteau en 2 minutes.
→ . . .
2. Nous n'avons pas encore *mangé*.
→ . . .
3. Ils font la grève de la faim, ils refusent *de manger*.
→ . . .
4. Dans cette affaire, il a *mangé* tout son argent.
→ . . .
5. Cette voiture *mange* beaucoup d'huile.
→ . . .
6. Elle *mange* son bébé de caresses.
→ . . .

POLYSÉMIE

Les différents sens du mot « cuisine ».
Une/la cuisine peut être : claire, spacieuse, moderne, diététique, chinoise, campagnarde, bourgeoise, au beurre, indigeste, louche, électorale, rustique, nouvelle.
Quels adjectifs emploiera-t-on pour parler :

1. *du local* : Ex. : une cuisine claire, spacieuse.
2. *de la préparation des aliments :* une cuisine diététique, . . . , . . . , . . . , ...
3. *des aliments eux-mêmes* : . . .
4. *de l'équipement* : . . .
5. *d'une manœuvre* : . . .
   ou d'un trafic (au sens figuré).

4. INFORMATIONS

Présentation du texte d'ouverture, pages 55-58.

ENQUÊTE AU PAYS DE LA BONNE BOUFFE.

Dans une époque où les modes de vie changent si vite, il semble normal que l'alimentation elle aussi se trouve modifiée. Traditionnellement « paradis » de la gastronomie, la France, en cette fin du XXe siècle, voit sa cuisine et surtout ses habitudes alimentaires se modifier. A cela, de nombreuses raisons :
l'approvisionnement de masse ;
les horaires continus ;
le coût d'un repas au restaurant ;
le refus de nombreuses personnes de consacrer trop de temps à la cuisine.
Ainsi, l'art culinaire devient-il le privilège d'une minorité : celle qui a du temps et celle qui a les moyens.

Présentation de Rencontre avec, *pages 70-73.*

Jean-Louis BARRAULT (1910).

D'abord mime, puis acteur de théâtre et de cinéma, Jean-Louis Barrault est essentiellement un metteur en scène de théâtre. Il fut le fondateur du festival d'Avignon.

Le texte

Jean-Louis Barrault a écrit plusieurs livres dont ces « Souvenirs pour demain ». Il évoque ici le savoir-vivre, l'art des bonnes manières que sa mère possédait au plus haut point, en racontant une anecdote à laquelle, dit-il, il doit son existence.

Émile ZOLA (1840-1902)

Grand écrivain français du XIXe siècle, Zola est le peintre du monde ouvrier de l'âge industriel... Orphelin de père, élevé par une mère aux faibles ressources, il abandonne très tôt ses études, pratique différents métiers et devient journaliste. Il est d'abord romantique et critique d'art. Il évoluera plus tard vers ce qu'on a appelé le roman naturaliste dont il devient le chef de file. Il est essentiellement célèbre pour deux raisons. D'abord son œuvre romanesque : *Les Rougon-Macquart*, histoire naturelle et sociale d'une famille sous le second Empire, vaste cycle romanesque qui prétend étudier scientifiquement les tares héréditaires déterminant cinq générations successives.

Treize volumes paraîtront dont les plus célèbres sont : *Le Ventre de Paris* (1873), *La Faute de l'Abbé Mouret* (1875), *L'Assommoir* (1877), *Nana* (1879), *Germinal* (1885), *La Terre* (1887), *La Bête humaine* (1890). Ensuite, sa prise de position très ferme dans l'affaire Dreyfus qui divisa les Français de 1894 à 1906 (le capitaine Dreyfus, officier d'origine juive, avait été injustement accusé d'espionnage au profit de l'Allemagne). Zola écrivit un retentissant article intitulé « J'accuse ».

Le texte

Extrait de *L'Assommoir* (1877) qui a pour thème la vie des ouvriers parisiens et relate la vie très dure de la blanchisseuse Gervaise, de Coupeau, ouvrier zingueur et de leur fille Nana. On a dit de *L'Assommoir* que c'était le « premier roman sur le peuple (...) qui ait l'odeur du peuple ». Les descriptions y sont d'un réalisme cruel et la langue, populaire et imagée, donne à son style une vigueur étonnante.
Il s'agit ici d'un des quatre repas qui ponctuent le roman. Sa description dure trente pages !

Georges PÉREC (1936-1982)

Mort prématurément à l'âge de 46 ans, Pérec a réussi à s'imposer dans la vie littéraire avec deux romans, *Les Choses* (1965) dont un extrait est publié page 119, critique sociologique des années 60 en France (société de consommation, publicité), et *La Vie, Mode d'emploi* (1978) roman qu'on peut qualifier d'hyper réaliste, où Pérec se livre à des recherches sur la langue.

Le texte

Madame Moreau habite un immeuble bourgeois dont Pérec décrit longuement la vie. Elle donne parfois des repas dont le thème est une couleur, ici un repas rose. La couleur, selon elle, influe sur le plaisir de la bonne chère, et dans sa salle à manger entièrement blanche seule la vaisselle qui s'harmonise avec la couleur des plats apporte une teinte pastel.

DOSSIER 4

DOUCE FRANCE
Villes et Villages

AU SOMMAIRE DU DOSSIER 4

- Texte d'ouverture : retrouvailles avec la France après quinze ans d'absence. Tour à tour émerveillement et déception dans ce texte, une lettre d'un lecteur au journal *Le Monde*.
- Document sonore : évocations rurales et souvenirs d'enfance dans une chanson de Charles Trénet.
- Regards : la ville, avec le bruit, la pollution, la solitude et, en contrepoint, la convivialité possible.
- Du côté des écrivains (Rencontre avec...) :
  - – la France des mutations : modifications du paysage urbain.
  - – la France profonde : vie étriquée dans une petite ville de province.

1. EXERCICES DE GRAMMAIRE

LES INDÉFINIS

1 *A la place des points, écrivez l'un des termes suivants :*

aucun, aucune, jamais, ne *ou* n', nul, nulle, pas, personne, plus, rien.

1. Je n'ai rencontré . . . .
2. Nous n'avons . . . le temps de vous écouter.
3. Je n'ai . . . idée de ce que je ferai demain.
4. Je n'ai . . . compris de son discours.
5. . . . de ma vie je n'ai vu un film aussi passionnant.
6. Aucune solution . . . est apparue.
7. Depuis qu'il est majeur, il ne veut . . . rester chez ses parents.
8. . . . sportif n'est à l'abri d'une défaillance.
9. Nous n'avons . . . espoir de le sauver.

2 *Soulignez les pronoms et les adjectifs indéfinis à valeur négative. Que remarquez-vous sur l'expression de la négation dans ces phrases ?*

1. Personne ne pourrait faire mieux.
2. Il ne s'est rien passé en votre absence.
3. De Gédéon, rien ne m'étonne.
4. Nul n'a su ce qui s'était dit au cours de la réunion.
5. Aucun bruit ne se faisait entendre.

Remarque : . . .

3 *Complétez les phrases qui suivent avec* autre chose, quelque chose *ou* quelqu'un, *selon les cas :*

1. N'auriez-vous pas . . . que cette pince ?
2. Pour le réveillon de Noël, la tante Irma nous avait préparé . . . de fameux !
3. Je connais . . . à qui cet emploi conviendrait fort bien.
4. Ce spectacle, c'est . . . de sublime !

4 *Complétez les phrases suivantes par le pronom indéfini qui convient :* aucun(e), nul(le).

1. Lui connaissez-vous des ennemis ? – Non, . . .
2. . . . n'est plus que moi soucieux de ton bonheur.
3. . . . n'est exempt de mourir.
4. . . . n'est prophète en son pays.
5. De toute les femmes de son temps, . . . n'a jamais été aimée comme elle.
6. . . . de nous n'a pris peur.

L'ÉQUIVALENT DE « ON »

5 *Le pronom* on *signifie souvent « les gens », mais parfois « nous » (dans la langue familière), ou « je » (emploi de discrétion), ou « tu, vous » (emploi affectueux, ou ironique).*
Pour chaque phrase, indiquez la valeur de « on » dans le tableau.

1. Alors, on se promène toute seule ?
2. On guérit comme on se console (*La Bruyère*). – 3. C'est une voix claire et forte ; il faut l'écouter avec attention pour s'apercevoir qu'on ne comprend pas ce qu'elle dit (*A. Robbe-Grillet*).
4. On se rend compte alors où qu'on vous a mis (*L.-F. Céline*). – 5. Eux et moi, on n'a plus rien à se dire (*J.-L. Curtis*). – 6. On eût dit la reconstitution d'un mystère moyenâgeux, d'un épisode historique (*Y. Gibeau*).

	1	2	3	4	5	6
les gens						
nous						
je						
tu, vous						

DU PLUS FORT AU PLUS FAIBLE

6 *Classez dans un ordre hiérarchique, du degré le plus fort au degré le plus faible, les phrases suivantes :*

1. Ce livre n'a eu aucun succès. – 2. Ce livre a eu beaucoup de succès. – 3. Ce livre a eu quelque succès. 4. Ce livre a eu peu de succès. – 5. Ce livre a eu un certain succès. – 6. Ce livre a eu un peu de succès.

+					–
a	*b*	*c*	*d*	*e*	*f*

POUR S'Y RETROUVER

7. *Mettez une croix dans les bonnes cases.*
Mais attention ! Réfléchissez d'abord et trouvez des exemples, cela vous aidera.

	Est toujours adjectif	*Peut être aussi pronom*
Tout		
Quelque		
Chaque		
Quel		
Plusieurs		
Différents		
Trois		

2. EXERCICES SUR DOCUMENTS

Solitude des grands ensembles

... J'habite une de ces villes de banlieue, sans intérêt, où les espaces verts sont rares..., où pratiquement personne ne se connaît... Si je suis seule et que je rencontre une personne de mon immeuble, nous nous croisons en osant à peine nous regarder, encore moins nous parler. Si je croise cette même personne et que j'ai mon bébé dans les bras, le contact s'établit presque toujours.

L'homme ou la femme sourit à l'enfant et par ricochet, à la mère... C'est grâce à mon fils que j'ai pu par exemple, faire la connaissance de ma voisine qui a un petit garçon du même âge que le mien. Du coup, nous nous sommes souri, nous avons parlé vaccin, maladies, éducation et depuis, nous nous rendons mutuellement service, nous nous rendons visite...

Claire Dayard - ATHIS-MONS.

1 *Trouvez dans le texte les mots correspondant aux définitions données ci-dessous.*

. . . a) Ensemble des agglomérations qui entourent une grande ville.

. . . b) Grands blocs de béton, bien souvent identiques, constituant d'immenses cités dans les banlieues des grandes villes.

. . . c) Grand bâtiment urbain à plusieurs étages.

. . . d) Jardins dans les villes.

2 *Faites des phrases avec les mots et expressions proposés en utilisant la construction* si... et que...

a. / JE / TOMBER SUR / UN VOISIN / NE PAS AVOIR / MON FILS / AVEC MOI / NOUS / NE PAS ENGAGER LA CONVERSATION /
. . .

b. UNE VOISINE / DE MON IMMEUBLE / ME CROISER / DANS LE COULOIR / JE / ÊTRE SEUL / NE PAS M'ADRESSER LA PAROLE /
. . .

c. JE / UNE ENFANT / RENCONTRER / INCONNU / CONTACT / S'ÉTABLIT.
. . .

3 *Lesquelles des déclarations suivantes auraient pu être prononcées par la personne qui a écrit cet article ?*

a. « Dans les grands ensembles les gens vous tiennent un langage amical. » □
b. « Dans ces immeubles modernes, la communication entre les gens s'établit difficilement. » □
c. « Dès qu'ils me voient, mes voisins s'empressent autour de moi. » □
d. Ici, les gens entrent facilement en contact. □
e. On vit ici dans l'anonymat. □
f. Les gens vivent ici en solitaires. □

4 *Expression libre.*
Rédigez un paragraphe sur le thème « La solitude des grands ensembles » dans lequel vous raconterez le cas de Claire Dayard qui a écrit l'article.
Vous utiliserez certaines des expressions suivantes :

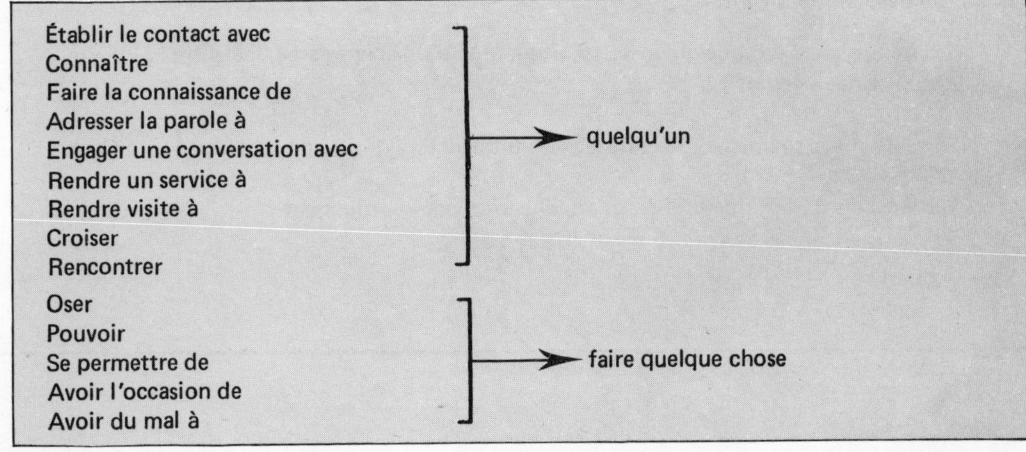

Établir le contact avec
Connaître
Faire la connaissance de
Adresser la parole à
Engager une conversation avec
Rendre un service à
Rendre visite à
Croiser
Rencontrer
quelqu'un
Oser
Pouvoir
Se permettre de
Avoir l'occasion de
Avoir du mal à
faire quelque chose

Le Troc-Temps

Le Troc-Temps ? L'idée d'un sociologue, Bruno Ribes, qui s'est interrogé sur l'avenir de la famille. Comment éviter le repli des familles sur elles-mêmes autour du poste de télévision et bientôt des terminaux ? Que faire pour que les habitants d'une ville neuve ne restent pas étrangers les uns aux autres ? Comment les inciter à se rencontrer, à se découvrir ? En créant un marché de services mutuels avec pour monnaie le bien le plus précieux, le plus commun du monde : le temps. Une heure de temps est la même pour tout le monde, n'est-ce pas ? En affirmant qu'une heure de ménage est égale à une heure de tennis, la notion d'argent disparaît. « Idée géniale disent les uns, idée folle disent les autres, mais si on essayait ? » Et c'est ainsi que Jouy-le-Moutier est revenu à un système vieux comme le monde, l'échange mais l'échange du temps. Nicole voudrait apprendre à faire des doubles-rideaux, en revanche elle propose de planter vos tulipes, Jean aurait besoin d'un coup de main pour installer son garage, en échange il donnerait volontier un coup de pouce aux faibles en Maths, Aline souhaite faire garder son bébé, en retour elle est prête à enseigner l'art du patchwork. Nicole, Jean, Aline s'inscrivent à la Maison de Quartier : j'offre 2 h de cuisine, 3 h de bricolage, 1 h d'anglais, j'ai besoin de 2 h de repassage, 3 h de jardinage, 1 h de piano.

(100 idées, *mars 84.)*

ville récemment créée =

Définition du troc-temps =

= Lieu de rencontre des gens d'un quartier

Vocabulaire

Troc (n.m.) : Système économique primitif excluant la monnaie / Échange direct d'un bien contre un autre.

« Faire un troc avec quelqu'un », « Faire le troc d'une chose avec une autre », « Faire le troc de deux choses ».

Se replier (sur soi-même) : se refuser aux influences extérieures, rentrer en soi-même.

Terminal (n.m.) : Terme utilisé pour désigner un micro-ordinateur.

1 *Complétez le tableau suivant.*

Le TROC-TEMPS : ORIGINE DE CETTE IDÉE

Bruno Ribes →	s'est interrogé sur → ↓	s'est posé les questions suivantes → ↓	a trouvé comme solution ↓
Ce sociologue →	• . . .	• Comment . . . • Que faire . . . • Comment . . .	• La création d'un marché . . .

2 *Mettez un signe (+) ou un signe (–) selon qu'il s'agisse d'un phénomène perçu comme négatif ou comme positif par Bruno Ribes.*

1. Le repli des familles sur elles-mêmes. □
2. Le fait que les habitants des villes neuves restent étrangers les uns aux autres. □
3. Le fait que les habitants des villes nouvelles se rencontrent et se découvrent. □

3 *Complétez ce tableau en relevant dans l'article les expressions utilisées pour « proposer un service », « demander un service » et pour préciser que c'est un échange de quelque chose.*

Qui	*Pour proposer un service*	*Pour préciser que c'est en échange de quelque chose*	*Pour demander un service*
exemple : Nicole	Elle propose de planter vos tulipes.	En revanche . . .	Elle voudrait apprendre à faire des doubles-rideaux.
Jean			
Aline			
Autres			

4 *Rédigez une ou deux petites annonces que vous pourrez vous-même afficher à la Maison de Quartier.*

. . .

Mur anti-bruit autoroute A3

Est-elle fière, la police, de ses nouvelles caisses son et lumière ! D'abord c'est américain. Ensuite ça stridule. Ça vous démarque de l'ambulance qui tadidanne et du pompier qui pimponne, sans parler du petit rigolo à klaxon musical qui toudoudoudi-doune.

(Nouvel Observateur, *3-2-84.)*

1 *Informations vocabulaire*

Une caisse : une voiture (en argot)

Un spectacle Son et Lumière : s'organise autour d'un monument qui est illuminé le soir tandis que se fait entendre une évocation sonore ou musicale de son histoire.

Striduler : produire un bruit aigu et intense.

2 *Information sur le document* : Depuis quelque temps, la police française est équipée de voitures surmontées d'une rampe de phares très puissants et munies de sirènes stridentes, comme les voitures de police aux États-Unis.

1 *Transformez les phrases suivantes :*

Ex. : Je n'aime pas ce monsieur : il est bête, grossier et en plus il est sale !
→ Il est bête, grossier, sans parler de sa saleté.

a. C'est une voiture formidable : elle va très vite, consomme peu et elle est confortable.
→ . . .

b. Ils habitent une rue adorable : il y a des jardins partout, de jolies maisons, et on n'entend aucun bruit.
→ . . .

2 *Changement de point de vue.*
Mettez-vous à la place d'une personne qui déteste le silence et chantez la gloire de ces nouvelles voitures de police. Votre texte commencera par une des phrases suivantes :

La police a de quoi être fière : . . . — Les nouvelles voitures de police, c'est fantastique : . . . — Enfin des voitures de police qui . . .

En hommage à Monsieur Bruit, des usages nouveaux se sont établis au nord de Valence. Les épouvantails dans les champs sont remplacés par un bruit de détonation toutes les dix minutes. En revanche, les minutes de silence sont impérativement limitées à quarante secondes. Le silence est devenu intolérable. Un concert, même au mois d'août : entre deux mouvements, le public se met à tousser, c'est pour le plaisir. Entrâtes-vous jamais dans une chambre sourde (pièce totalement isolée : 5 décibels) ?

Jacques Thomas
Journal *Marie-France*

Vocabulaire

Hommage (n.m.) : témoignage de respect, d'admiration ou de reconnaissance.

Monsieur Bruit : personne nommée par le gouvernement pour lutter contre le bruit (la pollution sonore).

Épouvantail (n.m.) : objet de forme humaine, en général recouvert de vêtements, qu'on dispose au milieu d'un champ pour effrayer les oiseaux.

Minute de silence : hommage rendu aux morts en restant debout, immobile et silencieux pendant une minute.

Chambre sourde : pièce totalement protégée du bruit et rendue parfaitement silencieuse.

1 *Au concert.*

Avez-vous remarqué vous aussi cette tendance à tousser lorsque l'orchestre s'arrête de jouer ? Pour quelle raison est-ce que l'on tousse d'habitude ?

. . .

Pourquoi l'article dit-il « même au mois d'août » ?

. . .

2 *Parodie*

Imaginons un pays de fous où le gouvernement aurait nommé un Monsieur Silence, pour lutter contre le silence, bien sûr. Sur le modèle du document, complétez ce texte.

HOMMAGE À MONSIEUR SILENCE

En hommage à Monsieur Silence, des usages . . . . A la place du bruit de détonation . . . Par ailleurs, les minutes de silence . . . 90 secondes. Le bruit est devenu . . . . A tel point que lors des concerts, le public ne supporte même pas . . . . Bientôt, les hôtels proposeront à leurs clients des chambres sourdes !

3. EXERCICES DE VOCABULAIRE

NE CONFONDEZ PAS !

« Prendre congé » et « prendre un congé », « ouvrir l'œil » et « ouvrir un œil », etc.
Complétez en choisissant l'expression convenable.

Ex. : *prendre congé* ou *prendre un congé* ?
a. Il est en vacances, il a **pris un congé** de dix semaines.
b. Je ne voulais pas partir sans **prendre congé** de vous.

1. *Ouvrir l'œil* ou *ouvrir un œil* ?
a. Je me suis réveillé, j'ai ouvert ... , j'ai vu qu'il pleuvait alors je me suis rendormi.
b. C'est une région très dangereuse, il faudra ouvrir ... .
2. *Prendre de l'assurance* ou *prendre une assurance* ?
a. Il est de plus en plus sûr de lui, il prend ... .
b. Par prudence, j'ai pris ... tous riques.
3. *Rendre compte* ou *rendre des comptes* ?
a. Quand on m'a volé mon portefeuille, je ne me suis rendu ... de rien.
b. C'est elle qui vous emploie, c'est donc à elle que vous devez rendre ... .
4. *Fermer une (ou la) porte* ou *fermer la porte à quelqu'un* ?
a. Il fait froid, ferme ... s'il te plaît !
b. C'est un individu malhonnête et je lui ai fermé ... depuis longtemps.

CONTRAIRES

Reliez 2 par 2 les adverbes qui s'opposent.

Ex. : Ils sont partis gaiement	• →	• a. fréquemment
1. Une chapelle a été nouvellement reconstruite sur ce site.	•	• tristement
2. On emploie rarement cette expression.	•	• b. anciennement
3. Il nous a répondu aimablement.	•	• c. lâchement
4. Elle s'est mise à travailler énergiquement.	•	• d. sèchement
5. Ils se sont conduits bravement.	•	• e. mollement.

RÉCRITURE

Récrivez les phrases en utilisant un verbe ou une expression synonyme.

pouvoir - faire attention à - dire au revoir - revenir - être bien reçu partout.

Ex. : C'est le printemps, les hirondelles *sont de retour.*
→ C'est le printemps, les hirondelles **sont revenues.**

1. Personne ne vous oblige à accepter cette proposition, il vous est tout à fait loisible de la refuser.
→ ...
2. Quand vous fermez la porte, ayez soin de ne pas laisser les clés à l'intérieur.
→ ...
3. Il est tard nous devons prendre congé (de vous).
→ ...

4. Quand il est parti, tout le monde l'ignorait. Maintenant qu'il est revenu fortune faite, toutes les portes se sont ouvertes devant lui.
→ ...

SUFFIXES

Cherchez l'adjectif en -aire, *dérivé du nom italique. Par quel adjectif peut-on qualifier...*

Ex. : Un chanteur qui jouit d'une grande *popularité* ? → un chanteur *populaire.*

1. Un mur qui date de plusieurs *siècles* ? → ...
2. Une femme qui a beaucoup *d'autorité* ? → ...
3. Un événement qui ressemble à un *spectacle* ? → ...
4. Un problème qu'on juge de *seconde* importance ? → ...
5. Un budget qui présente un *déficit* ? → ...
6. Une émission qu'on peut voir toutes les *semaines* ? → ...

4. INFORMATIONS

Présentation du texte d'ouverture, pages 80-83.

UNE SI JOLIE PETITE FRANCE

Après quinze ans passés à l'étranger, un Français, l'auteur de cet article, retourne en France. D'abord conquis par la beauté et le prestige historique des sites qu'il visite, par la qualité du travail de restauration qu'il observe un peu partout (monuments, vieilles maisons), par « un air d'aisance et de prospérité » qu'il rencontre dans les rues commerçantes des villes, il conclut la première partie de cet article en disant que la France offre au visiteur une véritable « fête pour les yeux ».
Et puis, en authentique Français, son esprit critique ne tarde pas à s'exercer. Il s'ensuit le catalogue de tout ce qui peut rebuter un voyageur venu d'ailleurs (des États-Unis, semble-t-il). Qu'on se rassure, ce catalogue est bien mince puisque notre compatriote nous reproche finalement bien peu de choses : la fermeture des magasins entre 12 h et 14 h, parfois 15 h, l'abondance des magasins de luxe, le fait que les gens n'ont pas l'air de beaucoup travailler, et le sous-équipement de l'Administration française. Comme il le dit, « ce plaisant tableau présente des ombres ». Existe-t-il un tableau sans ombres ?

Présentation de Rencontre avec... *(pages 94-97).*

Jean-Pierre CHABROL

Conteur nostalgique, passéiste, dira-t-on, Chabrol semble refuser le progrès. Il met en scène des personnages simples, honnêtes, pleins de bon sens et de courage. Amoureux de la nature, de la vie à la campagne et des sentiments simples, comme ses personnages, il redoute la froideur et l'inhumanité de la ville. Éternel débat.

Le texte

On ne saurait donc s'étonner que les changements modernistes du paysage urbain donnent à Chabrol l'occasion de ressasser ses souvenirs d'il y a vingt ans et de sombrer dans la nostalgie. Attitude qui peut paraître un peu naïve, ou désuète, presque larmoyante. Mais qui, parmi nous, n'a pas un jour déploré les changements, toujours justifiés par le progrès, qui font qu'un peu de ses souvenirs, et de lui-même, a disparu à tout jamais ? Qui n'a pas senti un jour qu'« avec les pans de murs tombent des pans de cœur » comme l'écrit Chabrol ?

LE VIEUX QUARTIER DE LA DÉFENSE

Un peu d'urbanisme-fiction. Nous sommes au XXVe siècle. On a eu largement le temps, depuis presque 600 ans, de revenir sur le credo architectural de la fin du XXe siècle. Paradoxe : la Défense, fleuron du modernisme actuel est devenue une curiosité historique, « ce vieux quartier de la Défense ». C'est finalement un retour à un passé bien lointain, quand chacun habitait une petite maison entourée d'un jardin ! Comme il n'y a pas si longtemps.

Marguerite DURAS (1914-).

L'auteur

Elle n'a pas attendu l'attribution du prix Goncourt en 1985 avec *L'Amant* pour être, depuis de nombreuses années déjà, un des écrivains les plus célèbres de l'époque actuelle. On la classe, avec Michel Butor, Alain Robbe-Grillet, Nathalie Sarraute et Claude Simon dans le groupe du « nouveau roman ». Malgré son activité multiple (romancière, auteur dramatique, scénariste) son œuvre revêt une unité évidente puisqu'elle traite toujours du même thème : la relation amoureuse, basée sur la complémentarité des êtres mais contenant en elle-même l'inévitable séparation. Ainsi *L'Amour* (1970) et *Détruire, dit-elle* (1969) sont-ils étroitement liés par ce thème. Écrivain réputée difficile, Marguerite Duras n'est pourtant pas un auteur à message mais bien plutôt quelqu'un qui est transformé par l'acte d'écrire. Tout comme ses personnages qui découvrent leurs raisons de vivre ou de mourir par la parole échangée, Duras se découvre elle-même par l'écriture.

Les œuvres :

Récits et romans : *Un barrage contre le Pacifique* (1950), *Le Vice-Consul* (1966), *Le Marin de Gibraltar* (1952), *Les Petits Chevaux de Tarquinia* (1953), *Moderato Cantabile* (1958), *Le Ravissement de Lol V. Stein* (1964).
Théâtre : *Les Viaducs de Seine-et-Oise* (1960), *Le Square* (1962), *Les Eaux et Forêts, La Musica* (1965).
Cinéma : *Hiroshima mon amour* (1959), *Une aussi longue absence* (1961), *Le Camion* (1977), *Les Enfants* (1984).

Le texte

C'est un extrait du scénario du film *Hiroshima mon amour* réalisé en 1960 par le cinéaste Alain Resnais. Une actrice française et un Japonais se rencontrent à Hiroshima. Nevers, dont parle le texte, est la ville où l'actrice a passé la première partie de sa vie et où, pendant l'Occupation, elle a eu un amant allemand. A la Libération, comme beaucoup de femmes ayant eu des relations avec l'ennemi, elle a été tondue en place publique.

DOSSIER 5

UN SOU EST UN SOU
Les Français et l'argent

AU SOMMAIRE DU DOSSIER 5

Un texte sur l'attitude des Français par rapport à l'argent, l'interview d'un banquier sur les habitudes de consommation et d'épargne et sur les choix budgétaires.

L'argent et ceux qui font semblant d'en avoir, l'envie de paraître, les trucs, les astuces.

Une chanson des Frères Jacques intitulée « Le Fric » où on apprendra les mille et une façons de dire argent en argot.

Enfin, du côté des écrivains, les rêves de consommation et l'illusion que l'argent fait le bonheur (G. Pérec) et le célèbre monologue de l'acte IV de *L'Avare* de Molière.

En post-scriptum, une B.D. de Reiser nous montrant un ridicule radin renfrogné et râleur.

1. EXERCICES DE GRAMMAIRE

LA QUANTITÉ

1. *Dans les phrases suivantes, remplacez le pointillé par* des, de *ou* d' *selon le cas :*

1. Il voulait qu'on lui offrit ... chocolats et non ... fades dragées.
2. Elle aimait lire ... contes de fées.
3. Vous avez vécu ... extraordinaires aventures.
4. Ce ne sont pas ... cadeaux pour les enfants.
5. Il ne paie pas beaucoup ... impôts.
6. Nous n'avons pas vu ... très bons films ces temps-ci.
7. En revanche nous avons vu ... superbes expositions.
8. Ces couteaux coupent comme ... vrais rasoirs.

PHRASES NÉGATIVES

2. *Transformez les phrases suivantes en phrases négatives.*

Ex. : Il mange de la viande → Il ne mange pas de viande.

1. Il nous reste encore de l'espoir.
2. La météo prévoit de la neige.
3. Je reprendrai du fromage.
4. Cela me fait du bien.
5. Nous allons prendre du retard.

3. *Même consigne.*

1. Il fait des fautes.
2. Nous buvons de la limonade.
3. Elle fait des projets.
4. Vous écouterez de la musique.
5. Tu me donnes du mal.

LE PLUS / LE MOINS

4 *Comparatif et superlatif.*

1. Louis est plus savant que Jean mais moins savant que Pierre. *Qui est le plus savant ? . . .*
2. Une rose est autrement plus belle qu'une marguerite, mais pas tant qu'une orchidée. *Quelle est la moins belle fleur ? . . .*
3. Georges est moins grand que René qui l'est plus que Bernard. *Qui est le plus grand ? . . .*
4. Mon devoir est mauvais : le tien est très mauvais, mais le sien est pire encore. *Quel est le moins mauvais devoir ? . . .*
5. La brûlure de Pierre est moindre que celle de Georges mais plus grave que celle de René. *Qui est victime de la plus grave brûlure ? . . .*

5. *Complétez les phrases qui suivent.*

1. Londres est plus grand que Paris et New York est plus grand que Londres. Donc, New York est . . . des trois villes.
2. L'huile d'arachide vaut plus cher que l'huile de colza mais pas aussi cher que l'huile d'olive. Donc l'huile d'olive est . . .
3. René n'est pas aussi intelligent que Pierre qui l'est moins que Jean. Donc, . . .
4. Nathalie parle mal l'anglais mais elle le parle mieux que Jacqueline et surtout que Sylvie qui le parle très mal. Donc, . . .

MEILLEUR / MOINDRE / PIRE

6 *Complétez les phrases suivantes par :* meilleur, moindre *ou* pire, *selon ce qui s'impose :*

1. Ne lui faites pas la . . . peine, je vous prie.
2. Je n'ai pas de . . . ami que Stéphane.
3. Il y a des fautes qui sont . . . que des crimes.
4. Acheter des marchandises à . . . prix ne va pas toujours sans risque.
5. Il n'est . . . eau que l'eau qui dort.

ASSEZ / TROP ... POUR QUE

7 *Transformez les phrases suivantes à l'aide des locutions conjonctives* assez... pour que, trop... pour que.

Ex. : Cette affaire est si importante qu'on ne peut la remettre à plus tard.
→ Cette affaire est trop importante pour qu'on puisse la remettre à plus tard.

1. J'ai tellement de choses à faire que je ne sais par où commencer.
2. Nous avons emporté assez d'argent ; nous pourrons donc bien profiter de la foire du Trône.
3. Les étoiles et la lune brillent suffisamment, et nous pourrons dîner dehors, sur la terrasse.
4. Cette découverte est si récente que nous ne pouvons nous prononcer.

LA NÉGATION

8 *Transformez les phrases suivantes en phrases négatives, en employant la locution* ne ... pas :

1. Les élections auront lieu avant six mois.
2. Les voyages dans la Lune sont interrompus pour longtemps.
3. J'aimerais habiter en montagne.
4. Vous prenez sans doute de l'eau minérale avec votre jus de fruit.
5. Cette année, ses parents ont invité des amis pour le réveillon de Noël.
6. C'est une maison qui fait de la publicité à la télévision.

NE + PLUS / JAMAIS / PAS ENCORE

9 *Transformez les phrases suivantes en phrases négatives, à l'aide des locutions* ne... plus, ne... jamais, ne... pas encore, *selon les cas.*

1. Marie-France a toujours faim.
2. Le concert a déjà commencé.
3. Le train est déjà en gare.
4. J'ai encore de l'argent.
5. Le vent souffle toujours à pareille hauteur.
6. L'express est toujours en retard.
7. Nous avons encore le temps.
8. J'ai toujours eu beaucoup de chance.

TRANSFORMATION

10 *Transformez les phrases négatives en phrases affirmatives.*

1. Les prisonniers n'avaient plus d'espoir.
2. La crue de la rivière n'a pas fini de s'étendre.
3. Je ne bois jamais d'eau entre les repas.
4. Les États-Unis n'ont pas encore commencé à restreindre leur consommation de pétrole.
5. Il ne reste guère de trésors archéologiques à trouver dans ce champ de fouilles.

PARTICIPES

11 *Transformez les phrases suivantes en remplaçant la proposition subordonnée par un groupe au participe présent.*

Ex. : On entendait le bruit des canons qui se rapprochaient de la ville.
→ On entendait le bruit des canons se **rapprochant** de la ville.

1. Un riche laboureur, qui sentait sa mort prochaine, fit venir ses enfants (*d'après La Fontaine*).
2. Une voiture, qui roulait à trop vive allure, a manqué son virage et basculé dans le ravin.
3. Le bateau, qui s'éloignait du port, prit de la vitesse.
4. Les banques, parce qu'elles sont la cible des gangsters, ont installé des équipements de sécurité.

12 *Transformez les phrases suivantes en remplaçant les propositions subordonnées par un groupe au participe.*

Ex. : La pétarade de la moto, qui avait empli d'un seul coup la rue, a fait détaler mon chien.
→ La pétarade de la moto, **ayant empli** d'un seul coup la rue, a fait détaler mon chien.

1. Comme il avait pressé le pas, il réussit à arriver à l'heure.
2. Une fois qu'ils eurent conclu le marché, les deux paysans trinquèrent.
3. Quand il s'est réveillé, le voyageur s'est précipité à la fenêtre du wagon.
4. Comme le Cyclope avait barré l'entrée de la grotte, Ulysse et ses compagnons se trouvaient prisonniers.

2. EXERCICES SUR DOCUMENTS

CONSOMMATION : DES ACHATS TRÈS SÉLECTIFS

Tour à tour économe et dépensier, de plus en plus exigeant. Le consommateur privilégie encore ses loisirs au détriment de l'équipement de la maison

Vocabulaire

Économe . Personne qui dépense avec mesure, qui évite les dépenses inutiles.

Dépensier : Personne qui dépense excessivement.

Au détriment de : Au désavantage de, au préjudice de.

1 *Classez les expressions suivantes selon qu'elles servent à désigner une personne « économe » ou une personne « dépensière ». Vous pouvez vous aider du petit lexique figurant dans votre livre (page 123).*

a. « Il *jette l'argent par les fenêtres.* »
b. « Lui, *c'est un panier percé.* »
c. « Il *est* assez *regardant.* »
d. « Il adore *claquer du fric.* »
e. « *L'argent lui brûle les doigts.* »
f. « Il n'a qu'un but dans la vie : *mettre de l'argent de côté.* »

Économe	*Dépensier*

2 *Privilégier une chose au détriment d'une autre.*
Faites une phrase pour dire :

— qu'un étudiant fait trop de sport et pas assez d'études.
Il ...
— qu'une dame s'occupe davantage de sa maison que de sa vie professionnelle.
Elle ...

3 *L'inverse de cette tournure :* **négliger** une chose **au profit d'**une autre.
Récrivez les deux phrases ci-dessus.

— Cet étudiant néglige ...
— Cette dame néglige ...

Consommation de masse contestée

En France même, il aura fallu attendre que les hypermarchés se multiplient, déversant leurs montagnes de marchandises standardisées que la publicité n'arrive que difficilement à différencier, pour que s'éveille cette conscience collective. « Je ne vais plus dans telle « grande surface », me disait l'été dernier à la campagne cette jeune mère de famille. C'est moins cher qu'au village, mais je suis tentée et, en fin de compte, je dépense plus. »
Son mari gagne 1 250 F par mois, ils ont six enfants.

(Dossiers du Monde OD)

1 *Contestation*

Quelle phrase dite par la jeune mère de famille évoque la contestation de la consommation de masse ?

□ a. Je ne vais plus dans telle « grande surface ».
□ b. C'est moins cher qu'au village.
□ c. Je suis tentée.
□ d. Je dépense plus.

En une phrase, dites pourquoi les phrases b. et d. ne sont pas du tout contradictoires. Vous serez sans doute obligé d'utiliser aussi la phrase c. Et, en fin de compte, la phrase a. sera votre conclusion.
...

2 *Les grandes surfaces : pour ou contre*

Classez les arguments suivants en deux catégories : vous inscrivez P (pour) ou C (contre) à côté de chacun.

— Prix intéressants.
— Abondance de produits.
— Produits standardisés.
— Beaucoup de choix parmi des produits identiques.
— Incitation (encouragement) à la dépense.
— Rapidité des achats (on y fait ses achats pour une semaine ; on va dans un seul hypermarché).

3 *Votre point de vue*

En quelques lignes, donnez votre point de vue sur la question. Vous trouverez des arguments dans l'exercice 5 et vous vous servirez des éléments suivants : même si, il est vrai que... mais, en revanche.
...

1 *Analyse du document.*

Qui parle ? . . .
Quelle est sa profession ? . . .
A qui s'adresse-t-il ? . . .

2 *Choisissez les adjectifs qui qualifient le mieux cette publicité.*

Elle est directe, vague, générale, précise, percutante, attirante, repoussante, immorale, intéressante.
Rayez les mots qui ne conviennent pas, selon vous.

3 *Que suppose la phrase « Votre argent m'intéresse » ?*

- □ a. que le banquier veut vous prendre vos sous ?
- □ b. qu'avec vos sous il en gagnera beaucoup d'autres ?
- □ c. qu'il veut vous faire gagner de l'argent ?
- □ d. qu'il veut en gagner lui aussi ?

Plusieurs réponses sont possibles.

REVES A LOUER

Ne serait-ce que pour une heure, un jour ou un week-end, faire semblant d'être milliardaire, posséder l'inaccessible, sans pour autant s'endetter, c'est possible, même sans être à la tête d'une grande fortune : il suffit tout simplement d'en passer par la location.

extraits de Déclic n° 1, 1984

1 *Définition*

- Qu'est-ce qu'un milliardaire ?
  . . .
- Inaccessible : citez une chose qui pour vous est inaccessible, c'est-à-dire, hors d'atteinte, bien au-dessus de vos moyens.
  . . .

2 *Compréhension*

Complétez :

Sans avoir beaucoup d'argent, on peut . . .

La solution consiste à . . .

3 *Expressions idiomatiques*

En vous aidant du petit lexique de la page 123, classez les expressions suivantes en deux listes :

1. Personnes ayant de l'argent.
2. Personnes n'ayant pas d'argent.

(Vous inscrirez le chiffre 1 ou 2 devant chaque expression.)

a. Il est fauché.
b. Il est bourré de fric.
c. Il roule sur l'or.
d. Il n'a pas un rond.
e. C'est un rupin.
f. Il est sans un.
g. Il est dans la dèche.
h. Il tire le diable par la queue.

Vie de château

La Caisse nationale des monuments historiques et des sites (Hôtel de Sully : 62, rue Saint-Antoine, 75004 Paris, tél. : 274.22.22), loue plus de 50 monuments dans toute la France. Mais attention, fragiles : pas question de planter le décor de sa boum n'importe où. Certains préfèrent le contact du troisième âge.

Exemple, pour une soirée (de 17 h 30 à 8 h) : une salle du château d'Azay-le-Rideau pour 25 000 F (contenance : 150 personnes) ; 4 salles dans la Conciergerie : 23 500 F ; une salle à Chambord : de 5 800 F à 8 000 F (de 120 à 600 places).

Information

Azay-le-Rideau et Chambord : deux des châteaux de la Loire.

La Conciergerie : partie du Palais de justice de Paris, dans l'île de la Cité. Des concerts y sont fréquemment organisés.

Une boum : une surprise-partie organisée par des jeunes, pour des jeunes. Le terme est un peu démodé, on dit maintenant « une fête ».

Le troisième âge : les personnes âgées de plus de 60 ans.

La vie de château : mener la vie de château signifie vivre dans le luxe et l'oisiveté, comme les seigneurs (châtelains) du temps jadis.

1 *Attention, fragile !*

- *Que peut-il y avoir de fragile dans ces lieux ?*

  ...
- *Peut-on organiser n'importe quelle fête dans ces lieux ?*

  ...
- *Faites deux phrases, l'une concernant l'âge des loueurs, l'autre les prix de location pour dire quel genre de public est plus susceptible de « mener la vie de château ».*

a. ...

b. ...

2 *Correspondance*

Vous avez loué une salle prestigieuse, à Chambord par exemple. Rédigez un carton d'invitation que vous allez envoyer à vos invités. Donnez les raisons de cette invitation, le lieu et l'heure, ce que vous souhaitez que vos invités apportent (vin, alcool, champagne, gâteaux, etc.), dans quelle tenue vous souhaitez qu'ils viennent.

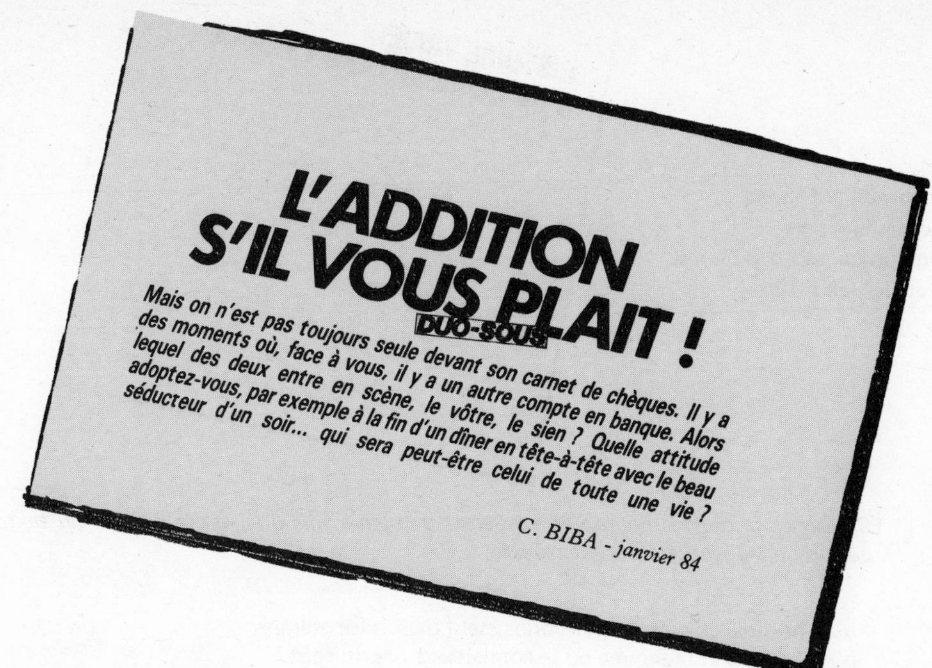

L'ADDITION S'IL VOUS PLAIT !

DUO-SOUS

Mais on n'est pas toujours seule devant son carnet de chèques. Il y a des moments où, face à vous, il y a un autre compte en banque. Alors lequel des deux entre en scène, le vôtre, le sien ? Quelle attitude adoptez-vous, par exemple à la fin d'un dîner en tête-à-tête avec le beau séducteur d'un soir... qui sera peut-être celui de toute une vie ?

C. BIBA - janvier 84

1 *« L'addition, s'il vous plaît ! »*

Qui dit ça ?		*A qui ?*		*Où ?*	
Un patient	□	au médecin	□	dans un magasin	□
Un client	□	au postier	□	dans un restaurant	□
Un usager	□	au garçon	□	à la poste	□

2 *Mini-test*

- *Quelle attitude adoptez-vous à la fin d'un dîner en tête-à-tête avec le beau séducteur d'un soir ?*

□ a. Vous lui proposez de partager l'addition.
□ b. Vous ne sortez pas votre carnet de chèques et vous le laissez payer.
□ c. Vous êtes si gênée à l'idée qu'il vous demande de vous payer votre part, que vous décidez de tout payer.

3 *Interprétation du test*

Cochez la bonne réponse.

- Si vous avez répondu □ a □ b □ c c'est que vous considérez comme tout à fait normal que l'homme paie pour la femme. Vous êtes une traditionnaliste.
- Si vous avez répondu □ a □ b □ c c'est que vous êtes une personne extrêmement fière et susceptible.
- Si vous avez répondu □ a □ b □ c c'est que tout séducteur qu'il est, vous n'avez pas l'intention de vous vendre pour un repas.

Un débrouillard (n.m.) : en langue familière, quelqu'un qui sait très bien se débrouiller, un malin.

HISTOIRE VRAIE D'UN DÉBROUILLARD CYNIQUE

ACTE I
Vendredi après-midi, vers 16 h. Une voiture de couleur bordeaux s'arrête en double file devant l'un des plus luxueux magasins de fourrures de Paris. Un homme et une femme en descendent.
L'homme : Si, si, ma chérie, j'insiste, choisis ce que tu veux.
La femme : Oh! vraiment je n'ose pas! Nous nous connaissons si peu...
(Un cadeau si gentiment offert ne se refusant pas, la femme choisit un manteau de fourrure, prix : 7 millions de centimes.)
L'homme (au vendeur) : Je vous règle par chèque.
Le vendeur (embarrassé, attirant l'homme à part) : Je suis un peu ennuyé, monsieur : un chèque de cette somme, justement un vendredi après-midi. Vous comprenez, les banques...
L'homme : Mais évidemment! Je vous comprends très bien. Ecoutez : vous gardez le manteau et le chèque. Je repasse lundi. (Se tournant vers la femme.) Tu n'es pas trop déçue, ma chérie? Oh! rassure-toi, tu n'auras pas froid ce week-end! Mes grands bras remplaceront avantageusement la douceur de cette fourrure, etc.
La femme : Bien entendu! Je vais en rêver! Si tu savais comme je suis contente!
ACTE II
Lundi matin, vers 10 h. La voiture bordeaux s'arrête en double file devant le magasin. L'homme en sort, seul.
Le vendeur (poli mais froid) : Ah! Monsieur! Je pense qu'il s'agit d'un malentendu, mais saviez-vous que votre compte n'est provisoirement pas approvisionné?
L'homme : Mais bien entendu! D'ailleurs, vous aviez gardé le manteau; il suffit de me rendre le chèque. Cela dit, je dois vous remercier : si vous saviez le merveilleux week-end que j'ai passé grâce à vous! □

1 *Choisissez la bonne réponse et explicitez à chaque fois quel est le passage du texte qui vous a permis de trouver la réponse correcte.*

Ex. :
□ a. L'homme et la femme se connaissent depuis longtemps.
□ b. L'homme et la femme ne se connaissent pas du tout.
□ c. L'homme et la femme se connaissent depuis pas très longtemps.
La phrase du texte qui vous permet de le savoir c'est : « Nous nous connaissons si peu ... »

A • L'homme décide de faire un cadeau à la femme.
□ a. Elle accepte sans montrer aucune gêne.
□ b. Elle fait semblant d'être gênée mais elle finit par accepter.
□ c. Elle se sent vexée et refuse le cadeau.
...

B • Le monsieur propose au vendeur de payer par chèque.
□ a. Le vendeur lui dit ouvertement, devant la dame, que ce n'est pas possible.
□ b. Le vendeur dit à la dame que malheureusement ce n'est pas possible.
□ c. Le vendeur essaie discrètement de faire comprendre à son client que ce n'est pas possible.
...

C • Réaction de la dame, en sortant du magasin :
□ a. Elle est fâchée et déçue.
□ b. Elle est indifférente car le manteau ne l'intéresse pas du tout.
□ c. Elle saute de joie.
...

D • Le lundi, le client se rend au magasin.
□ a. Le vendeur trouve la situation amusante.
□ b. Le vendeur n'est pas très content.
□ c. Le vendeur est prêt à excuser le client.
...

2. *A Paris, la plupart des banques sont ouvertes du lundi au vendredi jusqu'à 16 h. 30. Pourquoi le vendeur ne veut-il pas accepter un chèque pour une somme si importante ? (Employez le mot* approvisionné*).*
...

3 *Quelles expressions dans le texte pourraient être remplacées par l'expression* Bien sûr !.

a. ... b. ... c. ...

3. EXERCICES DE VOCABULAIRE

LE MOT JUSTE 1

Ex. : **envieux - enviable.**
a. Il veut toujours avoir ce que les autres possèdent : c'est un **envieux.**
b. Il est au chômage depuis plusieurs mois, sa situation n'est pas **enviable.**

1. **admiratif - admirable.**
a. Elle a passé sa vie à travailler pour élever seule ses trois enfants, c'est une femme . . . .
b. C'est le héros du jour et tous les spectateurs lui adressent un sourire . . . .

2. **désireux - désirable.**
a. Bien avant de vous rencontrer j'étais . . . de faire votre connaissance.
b. C'est une femme superbe que tous les hommes trouvent . . . .

3. **méprisant - méprisable.**
a. Ils se sont enrichis en volant de pauvres gens, ils sont . . . .
b. A l'école, comme il était pauvrement vêtu, les autres enfants lui parlaient d'un ton . . . .

4. **dédaigneux - dédaignable.**
a. Il se croit supérieur à tout le monde et parle toujours d'une voix . . . .
b. Vous n'êtes pas beaucoup payé mais si vous êtes logé gratuitement, ce n'est pas . . . .

CLASSEMENT

Complétez le tableau suivant le modèle.

	envers - pour *quelqu'un* *A*	*quelque chose* *B*	*sentiment mêlé de* *respect* *C*	*amour* *D*	*jalousie* *E*	*idée de possession* *F*
Ex. : le désir	X	X				X
1. l'envie						
2. la convoitise						
3. l'admiration						
4. l'adoration						

LE MOT JUSTE 2

Tous les termes suivants désignent des sommes versées. Complétez les phrases en choisissant le terme le mieux approprié : **un salaire - la paye (ou la paie) - une solde - un traitement - honoraires - pension - loyer - des arrhes - un prêt - un cachet - quittance - une bourse - un rappel.**

Ex. : le S.M.I.C. est le **salaire** minimum obligatoirement payé à tout travailleur.

1. La . . . d'un officier est plus élevée que celle d'un simple soldat.
2. Autrefois, le samedi était pour les ouvriers le jour de . . . .
3. Les avocats et les médecins perçoivent des . . . .
4. J'ai commandé plusieurs livres chez mon libraire et je lui ai versé des . . . .
5. C'est un acteur très célèbre, il touche des . . . fabuleux.
6. Comme elle était de famille modeste, elle a obtenu une . . . pour continuer ses études.
7. Les fonctionnaires perçoivent un . . . .
8. J'ai pu acheter mon appartement grâce à un . . . bancaire.
9. J'ai oublié de payer une facture. On m'a envoyé une lettre de . . . .
10. Ce mois-ci je dois payer mes impôts, le . . . de mon appartement, la . . . du gaz, de l'électricité et du téléphone, je n'en sortirai jamais !
11. S'il divorce, il sera obligé de verser une . . . alimentaire à sa femme car ils ont trois enfants.
12. On dit que « Toute peine mérite . . . . » (Proverbe)

LOGIQUE !

Cochez la proposition A ou B qui convient logiquement à la première proposition.

Ex. : L'État a *imposé* un impôt supplémentaire.
- A. Nous sommes obligés de le payer.
- B. Cet impôt supplémentaire n'est pas obligatoire.

1. *Vous* **tolérez** *qu'on fume à côté de vous.*
   - A. Vous acceptez parce que cela vous est égal.
   - B. Vous acceptez mais vous n'aimez pas beaucoup cela.
2. *Vous* **schématisez** *un problème.*
   - A. Vous le simplifiez en ne retenant que l'essentiel.
   - B. Vous le développez en expliquant tous les détails.
3. *Cet homme a été reconnu innocent mais des doutes* **subsistent.**
   - A. Tout le monde est persuadé de son innocence.
   - B. Quelques personnes doutent qu'il soit vraiment innocent.
4. *Les candidats qui ne respectent pas les règles du jeu sont* **éliminés.**
   - A. Ces candidats n'ont plus le droit de participer au jeu.
   - B. Ces candidats sont tout de même admis à participer au jeu.

FAMILLE

Complétez le tableau en utilisant un des verbes de la famille de porter :
apporter - transporter - emporter - rapporter - déporter.

Ex. : Vous portez un livre à un ami.	*Vous l'apportez.*
1. Vous partez en voyage en prenant des livres avec vous.	*Vous . . . des livres.*
2. Vous rendez un livre que vous avez emprunté.	*Vous . . . ce livre.*
3. Vous n'avez pas pu porter votre piano du 1er au 6e étage.	*Vous n'avez pas pu le . . .*
4. Vous avez un petit bout de terrain mais vous n'en tirez aucun bénéfice.	*Ce terrain ne vous . . . rien*
5. Un ministre dit aux journalistes les décisions prises pendant le Conseil des ministres.	*Le ministre . . . les décisions.*
6. On oblige un groupe de personnes à aller vivre dans un autre pays.	*On les . . .*
7. Vous avez terminé l'exercice et vous êtes très joyeux.	*Vous êtes . . . de joie.*

LE MOT JUSTE 3

Choisissez le verbe qui convient, en le soulignant.

Ex. : Vous apportez / amenez tous les matins votre petite sœur à l'école.

1. Quand ils partent, ils emmènent / emportent toujours leur chien.
2. Quand elle voyage, elle emmène / emporte beaucoup trop de bagages.
3. Le voleur a été amené / apporté en prison.
4. Le juge a demandé qu'on lui amène / apporte le prisonnier pour qu'il puisse le questionner.
5. Vous faites toujours ce qu'il veut, il vous mène / porte « par le bout du nez ».
6. Quand vous vous baignez vous aimez bien vous laisser mener / porter par les vagues.
7. Vous n'avez pas beaucoup apprécié ce concert mais emporté / emmené par l'enthousiasme du public, vous avez applaudi.

Présentation du texte d'ouverture, pages 104-107.

L'ARGENT, LE PÊCHÉ FRANÇAIS

Les seuls dessins humoristiques suffisent à présenter ce texte qui évoque les rapports des Français avec l'argent « objet de mépris, de répulsion, de convoitise et de vénération à la fois ».
- On ne parle pas de son salaire ni de sa fortune.
- On déclare une bonne fois pour toutes que l'argent est sale, mais on l'empoche volontiers tout de même.
- On méprise ceux qui gagnent de l'argent tout en les enviant secrètement.

Des explications historiques nous aideront à comprendre le pourquoi de toutes ces contradictions.

Présentation de Rencontre avec... *(pages 119 et 120).*

Georges PÉREC (texte page 119).

Cet auteur a déjà été présenté à propos du texte de la page 73.
Les Choses (1970) d'où est extrait ce passage est une chronique sociologique de la classe moyenne des années 60 en France. Ses deux héros, Jérôme et Sylvie, sont des gens bien de leur époque. Fascinés par la publicité et par les choses, ils vivent dans la facilité pour s'apercevoir après coup que les choses déterminent leur façon de vivre et que l'avenir auquel ils ne pourront pas échapper ne correspondra en rien, dans sa froideur et sa sécheresse, aux rêves qu'ils nourrissaient au début du roman.
L'extrait se situe au début de ce court roman: Jérôme et Sylvie éprouvent quelques scrupules à gagner facilement de l'argent, mais ils se trouvent de bonnes raisons. Pour bien comprendre ce texte, il faut savoir que malgré le procédé narratif qui semble regarder les personnages d'une manière objective, il s'agit en réalité des réflexions que se font Jérôme et Sylvie.

MOLIÈRE (page 120).

S'il est un nom connu de tous les Français, c'est bien celui de Molière (1622-1673). Le succès de son théâtre est sans doute dû à deux raisons : sa conception de l'homme et son inégalable gaieté.

- Il haïssait les hypocrites (les faux médecins – *Le Malade imaginaire* –, les faux dévôts – *Tartuffe* –, les fausses savantes – *Les Femmes savantes* –). Selon lui, toute passion excessive était ridicule. C'est la modération qui avait toute sa sympathie. Ses héros sont ceux qui se conforment à l'idéal de « l'honnête homme » aux vertus d'équilibre, de mesure et de juste milieu.
- La deuxième caractéristique du théâtre de Molière est sa grande gaieté. Son comique est varié : comique de situation et comique de langage (jeux de mots, quiproquos, répétitions) font qu'on s'amuse beaucoup aux pièces de Molière qui considérait (il le dit clairement dans *La Critique de l'École des femmes,* scène VI) que la grande règle du théâtre était de plaire et de procurer du plaisir aux spectateurs.

L'Avare

Il aime les femmes, jeunes, surtout celle que son fils veut épouser ; il essaie de régenter tout le monde (tentant de marier sa fille à un riche vieillard), mais plus que tout, il aime son argent. Et c'est le vol (provisoire) de sa fameuse cassette contenant dix mille écus qui l'amènera à la raison. Cette comédie se terminera par une réconciliation générale et le retour d'Harpagon à ses seules et vraies amours : son argent, « sa chère cassette ».

DOSSIER 6

«SI J'AVAIS LE TEMPS»
Les Français et leur temps libre

AU SOMMAIRE DU DOSSIER 6

- Un texte de Pierre Viansson-Ponté du *Monde* sur le problème des vacances où il commence par observer un comportement moutonnier, s'interroge sur ses raisons, pour finir par trouver des justifications à ce même comportement.
- Une chanson « Les Touristes » qui fustige bien le comportement de ces derniers mais qui leur montre beaucoup moins de sympathie que Viansson-Ponté.
- Des documents nombreux sur les loisirs, la détente, l'art d'occuper ses vacances et le cas de ceux qui n'en prennent pas.
- Une autre chanson, « Que faire », sur la morosité des dimanches après-midi, où la sociologie le dispute au poétique.
- Enfin, un dialogue d'Ionesco mettant en scène un employé d'une agence de voyages et deux clients, dans une situation « délirante ».

1. EXERCICES DE GRAMMAIRE

EXPRESSION DU TEMPS

1 *Transformez les groupes nominaux suivants, compléments circonstanciels de temps, en propositions subordonnées :*

Ex. : Jusqu'à son retour.
→ Jusqu'à ce qu'il revienne.

1. Avant le lever du soleil.
2. Dès notre départ.
3. Depuis la tombée de la nuit.
4. Pendant notre voyage.
5. Après le décollage de l'avion.

2 *Transformez les phrases suivantes en utilisant une proposition subordonnée à la place du groupe nominal ou de l'infinitif compléments circonstanciels de temps :*

1. La cordée a quitté le refuge avant le lever du soleil.
2. Avant d'entrer dans ma cellule il a fallu me mettre nu (*G. Apollinaire*).
3. Dès le premier coup d'œil, je vis que le grand sculpteur avait bien travaillé (*R. Rolland*).
4. La compagnie se sépara après avoir pris un biscuit trempé dans deux doigts de cassis (*id.*).
5. Sa résolution prise, il la maintint jusqu'au dernier moment de sa vie (*Voltaire*).

DISCOURS RAPPORTÉ ET RELATIONS DE TEMPS

3. *Transformez ce texte en supposant que vous racontez ce qui s'est passé longtemps après.*

« *Aujourd'hui* nous avons eu une très belle surprise. Nous nous promenions dans ces ruelles étroites et sombres où vivent des familles de marins, quand nous avons entendu une voix familière qui nous appelait. C'était Pablo, notre ami argentin. Il est arrivé *hier* pour participer à une exposition de peinture. *Ce soir*, nous irons ensemble au Palais de la Musique et pour *demain* nous avons déjà organisé une promenade dans les jardins publics. Malheureusement nous devons partir la *semaine prochaine* et Pablo ne pourra pas nous rejoindre *cette année* à Paris. *En ce moment*, ce n'est pas facile de faire de longs voyages. »

ANTÉRIORITÉ

4 *Ex. :* **Avant votre départ,** *regardez si vous n'avez rien oublié.*
a. → **Avant de partir,** . . .
b. → **Avant que vous (ne) partiez,** . . .

Comme dans l'exemple, transformez le groupe en caractères gras pour en faire des groupes de type a. ou b. ou les deux.

1. Allez vite à la poste avant le départ du courrier.
2. Une collation sera servie quelques dizaines de minutes avant notre atterrissage à New York.
3. Yves était très anxieux avant son examen.
4. Rien n'était encore sûr jusqu'au déclenchement du compte à rebours.
5. Avant leur rentrée dans l'atmosphère, les cosmonautes ont adressé un message au Président.
6. Les invités ont dansé jusqu'au lever du soleil.
7. Elle avait commencé, bien avant mon mariage, de donner le pas à la province sur Paris (*Colette*)

5 *Même exercice.*

1. Après l'achat de notre maison de campagne, nous nous sommes transformés en bricoleurs.
2. Depuis la mort de sa mère, il n'est plus le même.
3. Dès l'apparition du verglas, les Ponts-et-Chaussées ont salé les routes.
4. Quelques heures après le lever du soleil, un navire les aperçut.
5. Peu de temps après son arrivée à Melbourne, il fit l'acquisition d'une petite goélette d'une centaine de tonneaux (*J. Verne*).
6. Après une minute et vingt-huit secondes de vol, l'aéroplane avait bouclé le circuit de mille mètre

L'INFINITIF

6. *Complétez le tableau suivant par les croix appropriées :*

	Ordre ou *défense*	*Interrogation*	*Narration*
Entrer sans frapper			
Et grenouilles de sauter dans l'eau.			
Ne pas fumer.			
Qui croire dans cette affaire ?			
Et nous de nous esclaffer !			
Comment nous sortir de là ?			

7. *Transformez les phrases suivantes en phrases à l'infinitif :*

1. Ne traversez pas les voies.
2. Empruntez le passage souterrain.
3. Vous garderez le plat au four pendant une demi-heure.
4. Prenez un comprimé d'Aspiran toutes les six heures.
5. Ne jetez aucun objet par la portière.

8. *Transformez les couples de phrases suivants en une phrase unique ayant un double complément, dont l'un est un infinitif.*

Ex. : Quelque chose s'éveillait en nous. Je le sentais.
→ Je sentais quelque chose s'éveiller en nous.

1. Un groupe de jeunes gens fait de l'auto-stop. Je les vois de ma fenêtre.
2. J'irai voir le défilé. Tu ne m'en empêcheras pas.
3. Une voiture de pompiers a traversé le quartier à toute vitesse. L'avez-vous entendue ?
4. Au-dessus du fleuve, un oiseau de proie tournoyait lentement. Nous le regardions.

HYPOTHÈSE RÉELLE

9. *Complétez les phrases suivantes :*

Ex. Si tu *prends* ce chemin, tu *arriveras* plus vite.

1. Si vous (*acheter*) ... cette machine à coudre, votre tâche (*être*) ... plus facile.
2. S'ils (*choisir*) ... cette formule de voyage, ils (*être*) ... satisfaits.
3. Si vous (*louer*) ... cet appartement, vous (*être*) ... très près de votre lieu de travail.
4. Si tu (*prendre*) ... le métro tous les jours, tu (*faire*) ... une sérieuse économie.
5. Si elle (*suivre*) ... tes conseils, elle (*réussir*) ... .
6. Si Pierre (*pouvoir*) ... acheter cette voiture de luxe, il (*réaliser*) ... son rêve.
7. S'il (*apprendre*) ... à nager, il (*aller*) ... seul à la piscine.
8. Si tu (*trouver*) ... un travail rapidement, nous (*être*) ... rassurés.
9. Si tu (*déjeuner*) ... tous les jours dans ce restaurant, tu (*finir*) ... par avoir des brûlures d'estomac.
10. S'il (*aller*) ... en Colombie, il (*acheter*) ... une émeraude.

HYPOTHÈSE POSSIBLE

10 *Complétez les phrases suivantes :*

Ex. : Si vous *fumiez* moins, vous ne *tousseriez* pas de cette façon.

1. Si elle (*prendre*) ... plus souvent l'avion, je crois qu'elle (*avoir*) ... moins peur.
2. Si Julie (*repeindre*) ... son appartement en blanc, il (*être*) ... plus clair.
3. Si ta sœur (*venir*) ... pour les vacances de Noël, nous (*pouvoir*) ... faire un voyage en Andalousie.
4. Si notre collègue (*lire*) ... les journaux, il (*être*) ... un peu plus au courant de l'actualité.
5. Si elle (*changer*) ... de coiffure, elle (*paraître*) ... plus jeune.
6. Si tu (*prendre soin*) ... de tes vêtements, tu (*économiser*) ... de l'argent.
7. Si tu (*conduire*) ... moins vite, je (*avoir*) ... moins peur.
8. Si je (*pouvoir*) ... obtenir mes vacances au mois de juillet, nous (*partir*) ... ensemble en Yougoslavie.

EXPRESSION D'UNE HYPOTHÈSE IRRÉELLE

11 *Complétez les phrases suivantes :*

Ex. : Si j'*avais choisi* ce métier, j'*aurais gagné* beaucoup d'argent.

1. Si nous (*acheter*) ... cette maison, il y a dix ans, nous (*faire*) ... une excellente affaire.
2. Si à cette époque, Juliette (*convertir*) ... tout son argent en dollars, elle (*réaliser*) ... un gros bénéfice.
3. Si Monsieur et Madame Girard (*fermer*) ... leur porte à clé, ils (*ne pas être*) ... cambriolés.
4. Si Jacques (*vérifier*) ... l'état des pneus de sa voiture, elle (*ne pas déraper*) ... sur cette route mouillée.
5. Si tu (*pouvoir*) ... aller à Paris, au mois de juillet dernier, tu (*régler*) ... cette affaire facilement.
6. S'il (*avoir*) ... meilleur caractère, elle (*rester*) ... avec lui.
7. Si, comme je te l'avais dit, tu (*commencer*) ... ton travail plus tôt, tu (*finir*) ... maintenant.
8. Si tu (*faire*) ... les démarches avant, tu (*pouvoir*) ... obtenir ton passeport.

12 *Transformez les phrases suivantes en exprimant le rapport hypothétique à l'aide d'une subordonnée introduite par* si :

Ex. : Bien administrée, cette entreprise serait prospère.
→ Si elle était bien administrée, cette entreprise serait prospère.

1. L'interrogez-vous sur la vie politique dans son pays ? Il se réfugie dans les généralités, de peur de devoir porter un jugement défavorable.
2. Un coup de volant trop brutal, et nous allions dans le fossé.
3. Vienne une guerre, je me demande comment la population réagirait.
4. Sans argent, pas question de partir en vacances.
5. A bêcher toute la journée cette terre sèche, tu vas attraper un tour de reins.

2. EXERCICES SUR DOCUMENTS

A quoi occupez-vous votre temps libre ?

	% brut
Lire	17,70
Radio, télé	4,55
Bricoler, jardiner	14,55
Tricoter, cuisiner	12,05
Spectacle, sport	2,50
Chasser, pêcher	3,05
Restaurant, café	0,10
Jeux	2,50
Dessiner, musique	2,80
Promenade	9,80
Amis, parents	5,40
Se reposer	3,95
Courrier, écrire	0,25
Associations	1,70
S'occuper intérieur	2,20
Jouer avec enfants	2,20
Faire du sport	8,20
Suivre des cours	0,80
Faire des voyages	0,45
Autre	1,45
Rien, ennui	0,45
Pas de temps libre	2,15
Bénévolat œuvres	0,55
Non réponse	0,05
Cherche du travail	0,05
ENSEMBLE	100

Joffre Dumazedier

Travail-Loisir

Deux domaines séparés, cloisonnés, et, dans une large mesure, opposés. D'un côté, l'univers de la contrainte, de la routine, des tâches pénibles... De l'autre, l'univers de la liberté, de l'épanouissement de soi, de la détente... L'ensemble de notre vie quotidienne nous apparaît ainsi fondamentalement divisé en deux modes d'existence antagoniques : pour l'homme des sociétés occidentales, les loisirs c'est avant tout le « temps libéré », le temps qui n'est pas absorbé par le travail.

Joffre Dumazedier

Dans quel domaine avez-vous une activité bénévole ?

	Effectif brut	% brut	% s/reprimes
M.J.C.	33	1,65	8,29
Centres culturels	53	2,65	13,32
Associations sportives	14	0,70	3,52
Associations loisirs	73	3,65	18,34
Associations autres	37	1,85	9,30
Vie commune quartier	39	1,95	9,80
Militantisme			

---

1 *Comment sont définis dans ce document « l'univers du travail » et « l'univers des loisirs » ?*

Le travail, c'est l'univers ...

Les loisirs, c'est l'univers ...

2 *POSITIF ou NÉGATIF.*
Mettez à côté de chacun de ces mots un signe (+) ou un signe (–), selon qu'ils se réfèrent à des choses perçues comme agréables (+) ou désagréables (–) par l'homme des sociétés occidentales.

- La contrainte
- L'épanouissement de soi.
- La détente.
- La routine.
- La monotonie.
- La découverte de soi-même et des autres.
- Les loisirs.
- Les tâches domestiques.
- L'ennui.
- Le temps libre.

3 *EXEMPLES*
Donner un exemple pour chaque type d'activité ci-dessous.

Types d'Activités - Loisirs

Individuelle : Ex. : lire.
Sociale : ...
De groupe : ...
Physique : ...
Intellectuelle : ...
Culturelle : ...
Créative : ...

VACANCES

Stages : à la recherche de son « moi »

Tennis, photo, astronomie, sculpture, informatique : on peut tout étudier en France pendant les vacances. Mais qu'est-ce qui se cache derrière cette boulimie d'apprentissage ?

Armelle, 34 ans, a quitté mari et enfant pour un stage de yoga : « Quand je suis revenue, dit-elle, j'étais différente. Je ne pouvais plus vivre de la même façon. » C'est moins la discipline enseignée qui, parfois, donne un coup de fouet au stagiaire que la rupture avec son milieu naturel, et le plaisir de s'occuper, enfin, de soi.

Vocabulaire

Stage (n.m.) : période d'initiation, de formation, d'entraînement ou de perfectionnement dans une activité (manuelle, intellectuelle, sportive).

Le moi : ce qui constitue l'individualité, la personnalité de l'être humain.

Boulimie (n.f.) : envie excessive de manger.

Donner un coup de fouet : donner une impulsion vigoureuse, faire réagir.

1 *Questions*

Que peut-on faire pour occuper ses vacances ?
. . .

Que peut-on étudier ?
. . .

Ce qui se cache derrière cette « boulimie » se trouve dans le titre. Complétez la phrase suivante :
Si les gens se précipitent vers les stages, c'est peut-être . . . se perfectionner dans une discipline ou une autre, mais c'est aussi parce qu'ils . . .

2 *Armelle*

A. Lisez le document concernant Armelle et remettez en ordre les phrases suivantes qui racontent son cas.

1. Elle ne peut plus vivre de la même façon.
2. Mais le stage l'a changée.
3. Elle retourne chez elle.
4. Elle quitte son mari et son enfant pour aller suivre un stage de yoga.
5. Elle retrouve sa famille.
6. Elle s'y inscrit.
7. Elle apprend qu'il y a un stage de yoga.
8. Plus rien n'est comme avant.
9. Ça l'intéresse beaucoup.

B. COMPRENEZ BIEN
« C'est moins la discipline enseignée qui, parfois, donne un coup de fouet au stagiaire que la rupture avec son milieu naturel et le plaisir de s'occuper, enfin, de soi. »
Phrase complexe à bien comprendre. Choisissez la phrase ci-dessous à laquelle elle correspond.

- ☐ a. Après un stage, si le stagiaire modifie sa vie, c'est parce qu'il a appris des choses intéressantes.
- ☐ b. Peu importe ce qu'on apprend au cours d'un stage, l'important c'est de prendre des vacances.
- ☐ c. Bien sûr, on apprend des choses pendant un stage, mais ce qui compte c'est qu'on a vécu pour soi et qu'on est allé « ailleurs », seul.

LE MINISTÈRE DE LA CULTURE CONSTATE :

96 % des foyers munis d'un récepteur de radio et 56 % d'un magnétophone ; 7 personnes sur 10 possédant 90 disques et l'appareil de lecture correspondant ; une augmentation progressive de l'écoute de la musique enregistrée et de la fréquentation des spectacles musicaux et chorégraphiques dans l'ensemble de la population et surtout chez les jeunes ; enfin, 5 millions de Français pratiquant régulièrement la musique vocale ou instrumentale, et 1 million la danse — et, dans ce vaste mouvement, la pratique d'un instrument passant à un sur deux chez les 15-19 ans.

(Ministère de la Culture.)

1 *Compréhension*

Cochez les bonnes réponses.
Ce document parle

- □ a. du nombre de gens possédant un poste téléphonique.
- □ b. du nombre de familles équipées d'un poste de radio.
- □ c. du pourcentage de gens qui ont des disques chez eux.
- □ d. de l'écoute de la musique chez soi.
- □ e. de la fréquentation des salles de spectacle .
- □ f. d'un goût croissant des Français pour la danse.
- □ g. de la pratique du chant.
- □ h. du déclin de la pratique d'un instrument de musique chez les personnes âgées.

2 *Bilan*

- □ a. On écoute de plus en plus de musique.
- □ b. On joue de moins en moins d'un instrument.
- □ c. On s'intéresse davantage à la danse.
- □ d. Par contre, le chant n'intéresse plus personne.

3 *Vocabulaire*

Écrivez les verbes correspondant aux noms suivants :

Une augmentation : . . .
L'écoute : . . .
La fréquentation : . . .
La pratique : . . .

4 *Détail*

Ce document parle deux fois des jeunes Français. Que dit-il ?

a. . . .
b. . . .

TROISIÈME ÂGE
LES « ANCIENS » EN VACANCES

Les personnes âgées partent moins en vacances que la moyenne des Français

Les deux tiers des personnes âgées de soixante-cinq ans et plus ne partent pas en vacances : problèmes de santé, coût financier, difficultés pratiques (que faire du chat ?), mais aussi freins psychologiques : « peur ou manque d'envie ».

(Le Monde, *15-4-82.*)

1 *Quelles sont les deux appellations utilisées dans cet article pour désigner « les personnes âgées » ?*

. . . . . .

2 *COMPLÉTEZ.*
Quelles sont les différentes raisons pour lesquelles 2/3 des personnes âgées ne partent pas en vacances ?

« Bien souvent les personnes âgées ne partent pas en vacances parce que . . . »

3 *CLASSEZ.*
Neuf personnes âgées expliquent pourquoi elles ne partent plus en vacances :

1. C'est ça ! Et pendant mon absence on va cambrioler mon appartement !
2. Mon médecin m'a interdit de prendre le train.
3. Ça ne me dit rien !
4. C'est beaucoup trop cher !
5. Je préfère rester chez moi.
6. Qui s'occuperait de mes plantes vertes ?
7. Vous savez, j'ai tellement mal au dos que je ne peux même plus descendre les escaliers de mon immeuble !
8. Toute seule ! Et si je me faisais attaquer par des voyous !
9. Partir en vacances ? ... Pour quoi faire ?

Inscrivez le numéro de chaque phrase dans la case correspondante.

Problèmes de santé	Coût financier	Difficultés pratiques	Peur	Manque d'envie

3. EXERCICES DE VOCABULAIRE

RÉCRITURE 1

Complétez le tableau suivant le modèle.

Noms →	*Verbes*
une ruée →	**se ruer**
une rupture →	...
une contrainte →	...
un échelonnement →	...
une surcharge →	...

RÉCRITURE 2

Récrivez les phrases en utilisant le verbe correspondant au nom souligné.

Ex. : Il observait *la ruée* des invités vers le buffet.
→ Il observait les invités *se ruer* vers le buffet.

1. Nous sommes arrivés une heure avant *la fermeture* du musée.
→ ...
2. Ils ne se sont plus jamais revus après *leur rupture.*
→ ...
3. Il a demandé *l'échelonnement* des paiements sur 2 ans.
→ ...
4. On accepte rarement avec enthousiasme *une surcharge* de travail.
→ ...
5. Elle est partie car elle ne supportait pas *les contraintes* du règlement.
→ ...

EXPRESSIONS IDIOMATIQUES

Remplacez l'expression en italique par une des expressions suivantes :

(faire quelque chose) pour les beaux yeux de quelqu'un - aux yeux de - ouvrir de grands yeux - fermer les yeux sur quelque chose - mettre sous les yeux - crever les yeux - faire les yeux doux.

Ex. : Il ne raconte que des mensonges, *c'est tout à fait évident.*
→ Il ne raconte que des mensonges, « ça crève les yeux ».

1. Il apparaît à *tous* comme le meilleur joueur de l'équipe.
→ ...

2. Si j'agis de cette façon ce n'est certainement pas pour *te plaire* mais parce que cela m'intéresse.
→ . . .

3. Quand il veut obtenir quelque chose *il la regarde toujours tendrement.*
→ . . .

4. Dès qu'il a appris cette nouvelle *il a eu l'air très étonné.*
→ . . .

5. Il ne croyait pas à ces lettres anonymes jusqu'à ce que *je lui en montre une.*
→ . . .

6. Son fils se conduit très mal mais *elle refuse de voir toutes les sottises qu'il fait.*
→ . . .

RÉCRITURE 3

Récrivez en utilisant des verbes ou des expressions synonymes : médire - nuire - tomber malade - être nostalgique - faire beaucoup d'efforts.

Ex. : Il a toujours cherché à lui *faire du mal.*
→ Il a toujours cherché à lui **nuire.**

1. *Elle a pris mal* le jour où il a fait si froid.
→ . . .

2. Quand ils se retrouvent ils passent leur temps à *dire du mal des gens.*
→ . . .

3. Depuis qu'il est parti, il a *le mal du pays.*
→ . . .

4. « *Je me suis donné un mal de chien* » pour terminer ce travail (familier).
→ . . .

SOYEZ PLUS PRÉCIS

Remplacez l'expression passe-partout il y a *par un verbe plus précis :* alourdir - orner - éclater - régner - recouvrir.

Ex. : Il y a de magnifiques images dans ce livre.
→ De magnifiques images *ornent* ce livre.

1. Il y a de la joie dans les rues.
→ La joie . . .

2. Il y a trop de détails inutiles dans son texte.
→ Trop de mots inutiles . . .

3. Il y a eu des applaudissements au milieu de son discours.
→ Des applaudissements . . .

4. Il y a plein de dossiers sur son bureau.
→ Son bureau est . . .

CHOISISSEZ

Complétez

Ex. : **ce / se / ceux /**

a. Je n'irai pas, **ce** sont eux qui viendront me voir.
b. Il est prêt à faire n'importe quoi pour **se** distinguer des autres.
c. **Ce** jour-là, ils ne **se** sont pas vus.
d. **Ce** ne sont pas **ceux** que je veux.

1. **ses / ces.**

a. Toutes ... journées, je les ai passées à travailler.
b. Il est très attaché à ... amis d'enfance.
c. ... cadeaux, ce sont ... parents qui les lui ont donnés.

2. **c'est / sait / s'est / sais**

a. Il a dormi toute la soirée, ... bien la dernière fois que je l'invite.
b. Quand elle a entendu la sonnerie, elle ... précipitée sur le téléphone.
c. Je le connais mais je ne ... pas comment il s'appelle.
d. ... lui que vous devez remercier car il ... la vérité et pourtant il ... tu.

3. **cette / cet / sept**

a. Ce n'est pas ... emploi qui vous fera gagner beaucoup d'argent.
b. ... maison date du XIIe siècle.
c. Cinq et deux font ... .
d. Hier j'ai attendu, mais ... fois « je n'attendrai pas cent ... ans » pour parler à ... homme.

4. INFORMATIONS

Présentation du texte d'ouverture, pages 128 et 129.

ILS SONT FOUS, CES TOURISTES !

On a envie de les battre ces vacanciers qui partent tous en même temps, vers les mêmes lieux, faire la même chose. On a envie de leur crier que leur comportement est stupide, que juin et septembre sont des mois formidables pour le tourisme, qu'il faut étaler les vacances, qu'il y a des tas d'endroits en France où on peut passer ses vacances au calme. Et puis, avec Viansson-Ponté, on se prend à considérer leur point de vue, et finalement à comprendre et à excuser ce comportement moutonnier.

Eugène IONESCO

Auteur dramatique français né en Roumanie en 1912 de père roumain et de mère française, élevé en France jusqu'à 13 ans : il séjourna en Roumanie jusqu'en 1938 où il termina ses études et devint professeur de français. Membre de l'Académie française depuis 1970, Ionesco est l'écrivain de l'absurde et du comique, un observateur très attentif du monde qui l'entoure et de ses contemporains. Tantôt tragique, tantôt dérisoire, son comique joue sur les situations et les mots. Ionesco décrit un monde où les mots se vident de sens, où le langage devient un objet parmi les objets. Chez Ionesco, l'absurdité et la dérision du langage expriment la dérision et l'absurdité de la condition humaine.

Ses œuvres :

Théâtre : *La Cantatrice chauve* (1950), *Les Chaises* (1952), *Victimes du devoir* (1953), *Amédée ou Comment s'en débarrasser* (1954), *Tueur sans gages* (1959), *Rhinocéros* (1959), *Le Roi se meurt* (1962), *Le Piéton de l'air* (1963), *La Soif et la Faim* (1966).
Un roman : *Le Solitaire* (1973).
Un film : *La Vase* (1972).

Le texte

« Agence de Voyages » est un extrait des « Exercices de conversation et de diction françaises pour étudiants américains » où Ionesco (ancien professeur de français) se moque des méthodes de langues et d'un enseignement de prétendues situations de la vie quotidienne qu'il tourne en ridicule, encore une fois par l'absurde et le dérisoire.

DOSSIER 7

«MASCULIN / FÉMININ»
Les Français et l'amour

AU SOMMAIRE DU DOSSIER 7

Ce dossier présente une certaine originalité par rapport aux autres avec :

- une bande dessinée pour texte d'ouverture, où est évoquée la répartition des rôles entre l'homme et la femme, dans une transposition enfantine ;
- un extrait de film comme document sonore, longue discussion à quatre sur l'Amour avec un grand A ;
- trois doubles pages de documents où seront évoqués le mariage, le célibat, le sexisme, le féminisme, les jeunes, les vieux, les enfants, les impôts, le tout dans la perspective du couple, légitime ou non ;
- trois textes littéraires :
  - Un coup de foudre (Flaubert, *L'Éducation sentimentale*),
  - Je voudrais un enfant de toi (F. Marceau, *Creezy*),
  - Un poème de Paul Éluard.
- Enfin, un document très amusant sur le sexisme du monde du travail.

1. EXERCICES DE GRAMMAIRE

EMPLOI DE « IL FAUT »

1 *Transformez les phrases suivantes :*

Ex. : Écris à ton frère !
→ *Il faut que* tu écrives à ton frère.

1. Parlez-lui de votre problème !
→ . . .
2. Cherchez un emploi mieux rémunéré !
→ . . .
3. Prenez des vacances, vous êtes trop fatiguée !
→ . . .
4. Arrose les plantes après le coucher du soleil !
→ . . .

5. Prenez une veste, il fait frais ce soir !
→ . . .
6. Téléphonons à notre cousine pour lui annoncer la bonne nouvelle !
→ . . .
7. Rendez-lui ce livre, il le réclame depuis longtemps !
→ . . .
8. Entraîne-toi sérieusement si tu veux battre Gérard au tennis !
→ . . .
9. Arrêtez de fumer ; cela me donne mal à la tête !
→ . . .
10. Allez acheter du vin dans cette coopérative ; il est très bon.
→ . . .

VOULOIR
SOUHAITER
AIMER
DÉSIRER
} **QUE + SUBJONCTIF**

2 *Transformez les phrases suivantes, selon le modèle :*

Ex. : Prends un cachet d'aspirine !
→ (*vouloir*) Je voudrais que tu prennes un cachet d'aspirine.

1. Viens déjeuner avec nous, demain !
→ *(souhaiter)* . . .
2. Sois plus poli avec les grandes personnes !
→ *(désirer)* . . .
3. Pourvu qu'il puisse faire son stage !
→ *(aimer)* . . .
4. Faites un effort !
→ *(vouloir)* . . .
5. Si tu pouvais faire ce voyage en Inde !
→ *(souhaiter)* . . .
6. Ne fais pas tant de bruit !
→ *(aimer)* . . .
7. Répondez à mes questions !
→ *(désirer)* . . .

FORME NÉGATIVE

3 *Mettez les phrases suivantes à la forme négative :*

1. Je crois qu'elle a raison.
2. Je pense qu'ils viendront ce soir.
3. Elle prétend que tu es malhonnête.
4. Je suis sûr qu'elle réussira.
5. J'affirme que nous devons nous entendre avec eux.

SUBJONCTIF

4 *Mettez les verbes entre parenthèses à la forme qui convient :*

1. J'aime que la jeunesse (*avoir*) des idées générales (J. Anouilh).
2. Je défends qu'on me (*répondre*) (R. Vailland).
3. On dément que les États-Unis et l'U.R.S.S. (*être parvenu*) à un accord.
4. Préfères-tu que je le (*prévenir*) par lettre ? (M. Achard).
5. Ce n'est pas moi qui ai empêché que vous (*être mis*) en présence de votre fils (G. Simenon).

5 *Mettez le verbe entre parenthèses à la forme qui convient :*

1. Tu ne quitteras pas cette pièce avant que le signal ne t'(*avoir été donné*).
2. D'ici à ce que votre petit-fils (*avoir atteint*) l'âge adulte, la durée du travail hebdomadaire aura sensiblement diminué.
3. En attendant que les boutiques (*être ouvertes*), flânons dans le quartier.
4. Restez auprès du blessé jusqu'à ce qu'un médecin (*arriver*).

LES MOTS DE LIAISON

6 *Complétez les phrases suivantes à l'aide de* mais, ou, et, donc, or, ni, car.

1. Jean-Pierre rentrera dimanche matin de la campagne, . . . il évitera les embouteillages.
2. Cet employé est consciencieux, . . . très compétent.
3. Vous avez eu de bons résultats, . . . vous partirez détendus en vacances.
4. Jacques est fatigué, . . . il relève de maladie.
5. La truite que mon père a pêchée n'est pas très grosse, . . . il n'est pas rentré bredouille.
6. Il n'a . . . veste, . . . cravate, . . . le col de sa chemise est largement déboutonné ; . . . c'est une chemise blanche, irréprochable (*A. Robbe-Grillet*).

FONCTION DE « EN »

7 *Fonction de* EN. *Pronom ou préposition ? Regardez dans la grille ci-dessous.*

1. Je vous invite à venir demain souper avec moi. *En* aurez-vous le courage ? (*Molière*).
2. Sur la cheminée, on distingue déjà à peine les couleurs des statuettes *en* faïence (*Elsa Triolet*).
3. Un grand jeune homme roux et frisé s'approchait d'eux *en* hésitant (*J.-P. Sartre*).
4. Je vois les grâces que sa bonté m'a faites *en* ne me punissant point de mes crimes ; et je prétends *en* profiter comme je dois (*Molière*).

	1	*2*	*3*	*4*
Pronom				
Préposition				

8 *Comme dans le modèle, encadrez la préposition (ou la locution prépositive) exprimant la cause.*

1. J'aime ce restaurant [à cause de] sa décoration élégante.
2. Le quartier est bouclé par la police à cause de l'évasion d'un prisonnier.
3. Les sirènes sonnent en raison d'un grave accident sur l'autoroute.
4. Je lui ai offert un bouquet de roses pour sa fête.
5. J'ai amené Philippe, par crainte de me trouver seul devant eux.

9 *Même exercice.*

Ex. : Je rentrai [parce que] je devais aller dîner à Rivebelle avec Robert (*M. Proust*).

1. Puisque Élisabeth lui avait laissé les enfants sur les bras pendant deux jours, elle pouvait bien s'en occuper un peu maintenant, toute seule (*M. Butor*).
2. Il aimait la Lison parce que, en dehors des appointements fixes, elle lui gagnait des sous, grâce aux primes de chauffage (*E. Zola*).
3. Comme la pluie tombait toujours, ces dames demandèrent des fiacres pour s'en retourner (*G. Flaubert*).
4. Peut-être sommes-nous uniques, puisque nous nous suffisons (*A. Langevin*).

10 *Remplacez les points de suspension par* parce que *ou* puisque, *selon les cas.*

1. Nous allons dépenser moins d'électricité, . . . les jours rallongent.
2. Inutile de prendre de l'aspirine, . . . tu n'as plus mal à la tête.
3. Il n'y a pas grand monde sur les pistes de ski, . . . c'est l'heure du déjeuner.
4. . . . il ne pouvait la rendre heureuse, mieux valait qu'ils se séparent.
5. Comment aurais-je pu connaître M. Balendard, . . . il s'est tué dans un accident avant que je ne sois né ?
6. Il vaut mieux ne pas boire de cette eau, . . . elle ne me semble pas très pure.

11 *Transformez chacun des couples de phrases suivants en une phrase, en employant* puisque *ou* parce que.

1. Ça vous contrarie ? N'en parlons plus !
2. Nous marchions assez lentement : tout compte fait, rien ne pressait.
3. J'étais très enrhumé : je ne suis pas allé à la piscine.
4. On l'a bernée avec de fausses promesses. Elle est furieuse.
5. Ce garçon est très séduisant, paraît-il. Invitez-le donc à notre soirée de fin d'année.

2. EXERCICES SUR DOCUMENTS

« Mon objectif, a déclaré Yvette Roudy, est de permettre aux femmes d'accéder à tous les postes occupés par des hommes. » Alors, courage, la lutte continue

8 mars 1984, *Journée internationale des Femmes sur le thème : le travail.* » Hein ! Encore ? Le féminisme n'est pas mort ?
Pas tant qu'il y aura de l'abus, gros nigauds. De l'abus chiffrable, incontournable, de surcroît. En Europe, le tiers des femmes travaillent mais elles représentent 64 % des smicards. De choix professionnel elles n'en ont guère, et dans le bas de gamme : trente-quatre métiers seulement, contre trois cents pour les hommes (1). En plus, comme elles sont moins qualifiées, le chômage les menace plus vite. Bref ! des sous-fifres, tant dans l'économique que dans le politique. Le pouvoir de décision, où qu'il soit, leur échappe (presque) toujours.

On prétend qu'elles ne veulent pas de ces responsabilités...
Par une lente imprégnation depuis l'âge tendre, les femmes ont intériorisé l'idée que le pouvoir, ce n'est pas pour elles.
(Le Nouvel Observateur)

Information

Yvette Roudy : ministre à la condition féminine.
En 1983, a été adoptée en France « la loi Roudy sur l'égalité professionnelle ».

Vocabulaire

Gros nigaud : Expression toute faite pour traiter quelqu'un de « naïf ».

Smicard : Personne qui touche le SMIC (Salaire Minimum Interprofessionnel de Croissance). En 1984 : 3 948,46 F. (mensuel net). Le nombre de smicards s'élève à (approximativement) 1 500 000 personnes.

Ne ... guère : Pas beaucoup.

Un sous-fifre : Un subalterne, un tout petit employé.

1 *Dialogue*

A. – Le 8 mars aura lieu la Journée Internationale des Femmes sur le thème : le travail.

B. – Encore ! On parle encore de ca ? Je croyais que le féminisme était mort !

Cochez les bonnes réponses. A votre avis B est

- ☐ a. un homme
- ☐ b. une femme
- ☐ c. l'un ou l'autre
- ☐ d. impossible à savoir
- ☐ e. quelqu'un qui est au courant des luttes féminines.
- ☐ f. une féministe convaincue.
- ☐ g. une personne que ces problèmes ne concernent pas.

2 *Le travail au féminin*

Lisez le document et complétez.

a. Pourcentage de femmes payées au SMIC : ...
b. Nombre de métiers accessibles aux femmes : ... contre 300 pour les hommes.
c. Formation/qualification : ... qualifiées que les hommes.

3 Revendications

Complétez ce tract en utilisant les éléments figurant dans l'encadré.

METTONS FIN AUX INÉGALITÉS

- Les métiers accessibles aux femmes restent ... nombreux que ceux des hommes.
- A travail égal, les hommes sont ... payés.
- Nous n'avons ... pouvoir de décision : nous ne sommes que ... !

Des sous-fifres
aucun
s'épanouir
accéder
l'accès
moins
plus
mieux
le chômage
l'égalité durant le travail
le choix
égal

CETTE FILLE EST DANGEREUSE, ELLE SUIT LES HOMMES DANS LA RUE...

Celui-là, on va l'appeler « Jules ». J'ai une tendresse particulière pour lui, parce que c'est le premier que je suis arrivée à suivre correctement. Il s'est aperçu très vite de ma présence, faut dire j'avais mis le paquet, je lui marchais carrément sur ses mocassins et lui soufflais dans le cou d'une façon très personnelle... je dirais même inimitable. Il se retourne... me regarde... moi, l'air absent, avec une tronche d'enfant qui a du chocolat plein la bouche, mais qui jure qu'il n'a pas touché au dessert de mamie Nova.
Il traverse, pour s'assurer qu'il se trompe et que cette ravissante jeune femme que je suis, ne peut pas le suivre... lui... petit individu au physique anodin.
Mais si ! Je suis toujours là. J'ai traversé la rue au péril de ma vie. Mais Jules, n'est pas encore totalement convaincu. Alors « Oh ! le fourbe », il stoppe net devant une boutique de chemises d'hommes. Il pense m'avoir. Ça n'intéresse pas les filles, les chemises d'hommes... je dévore la vitrine du regard.
Jules panique. Met les mains dans ses poches pour vérifier si je ne lui ai pas piqué du fric. Change trois fois de trottoir — et me voyant toujours là, rentre dans une pharmacie.
Il a dû demander des calmants.
Au revoir Jules.
Sans rancune.

Leslie BEDOS
Chanson 83

Mettre le paquet : faire de gros efforts.
Tronche (n.f.) : en argot, une tête.
Fourbe (adj.) : hypocrite, traître. Le contraire de « honnête et loyal ».
Piquer : voler (fam.).
Mamie Nova : (référence à la publicité télévisuelle)
Le dessert de Mamie Nova est un petit pot de crème au chocolat.

1 *Identification*

Qui est « cette fille » ?

- ☐ a. Leslie Bedos elle-même.
- ☐ b. Une fille que Leslie Bedos a observée dans la rue.
- ☐ c. Une amie de Leslie Bedos.

2 *On me suit !*

'homme s'aperçoit de la présence de la fille

- ☐ a. parce qu'elle lui adresse la parole.
- ☐ b. parce qu'elle marche trop près de lui.
- ☐ c. parce qu'elle est ravissante.

3 *L'air de ne pas avoir l'air.*

Quand il se retourne et la voit

- ☐ a. elle est en train de manger du chocolat.
- ☐ b. elle ressemble à une fillette.
- ☐ c. elle essaie d'avoir l'air innocent, mais n'y arrive pas.

4 *Qu'est-ce qu'elle me veut, celle-là ?*

Il traverse la rue

- ☐ a. pour voir si elle va le suivre.
- ☐ b. pour mieux la regarder, car elle est ravissante.
- ☐ c. pour la perdre.

5 *Elle me drague ?*

Il s'arrête devant un magasin de chemises d'hommes

- ☐ a. mais ce n'est pas pour en acheter une.
- ☐ b. en pensant qu'elle va peut-être lui offrir une chemise.
- ☐ c. pour voir si elle aussi aime les chemises.

6 *De qui s'agit-il ?*

« Ça n'intéresse pas les filles, ces chemises d'hommes. »
Qui parle, qui dit cela ?

- ☐ a. C'est l'homme qui dit cela à la fille.
- ☐ b. C'est ce que l'homme pense à ce moment-là.
- ☐ c. C'est ce que se dit la fille.

7 *Comment s'en tirer ?*

a. Il ne sait plus que faire pour se débarrasser d'elle.
b. Il a envie de faire sa connaissance.
c. Elle entre dans une pharmacie ; il la suit.

8 *Concordances*

Faites correspondre les phrases de la série A à leurs compléments dans la série B.

A

- Il traverse . . .
- Il s'arrête devant une boutique de chemises . . .
- Il panique . . .
- Elle traverse aussi . . .
- Elle aperçoit un homme dans la rue . . .
- Il se retourne et la regarde . . .
- Elle décide de le suivre . . .
- Elle fait semblant d'être absente . . .
- Il met les mains dans ses poches . . .
- Elle s'en va sans rancune . . .
- Il rentre dans une pharmacie . . .
- Il change trois fois de trottoir . . .

B

- pour voir si elle le suit vraiment.
- parce qu'elle lui marche carrément sur les pieds.
- même au péril de sa vie.
- pour lui signifier que les femmes, « ça ne l'intéresse pas », qu'il préfère regarder des chemises d'hommes.
- parce qu'il a peur qu'elle lui ait volé de l'argent.
- probablement pour acheter des calmants.

Les hommes et les tâches ménagères

Les Français se décident lentement à participer aux tâches ménagères. Selon un sondage de l'institut C.E.D.O.P. publié lundi 22 août, par le mensuel féminin *BIBA*, les Françaises estiment que 50 % des hommes mettent un peu la main à la pâte, 30 % beaucoup et 20 % pas du tout. Précisons : ce sont surtout les jeunes, plutôt les gens du Nord que ceux du Sud, davantage les cadres moyens et les employés, qui sont les leviers de cette révolution conjugale.

Réalisé auprès d'un échantillon de mille personnes, ce sondage permet d'observer que les hommes répugnent avant tout à repasser, à faire la cuisine et à nettoyer les vitres. La corvée de poubelles, la promenade des courses et le « couvert » (mettre et débarrasser la table) les attirent davantage.

1 *Quelles sont les six tâches ménagères mentionnées dans ce document ?*

2 a) *Quel est le thème de ce sondage ?*

. . .

b) *Pour qui ce sondage a-t-il été réalisé ?*

. . .

c) *Quel a été le nombre de personnes interviewées ?*

. . .

3 a) *Quelles sont les tâches ménagères que les nommes préfèrent taire ?*

. . .

b) *Quelles sont celles qu'ils détestent faire ?*

. . .

CYPRIENNE EST MUSICIEN

Afflux de femmes volontaires dans l'armée française. Dis-moi s'il y a du chômage, je te dirai si le recrutement marche bien. Dans la marine, l'année dernière, les effectifs féminins se sont accrus de 16 %. Victoire du féminisme ? J'ai sous les yeux une brochure de la Marine nationale intitulée « Carrières féminines ». On y trouve une liste de « *spécialités possibles pour le personnel non officier* ». Je recopie :

— « *Musicien* » (au masculin, et avec cette précision que « *les candidates — au féminin — doivent posséder une très bonne connaissance musicale et une qualification instrumentale* ») ;

— « *Cuisinier* » ;

— « *Infirmier* ».

Etc. Vous avez des familles où la sœur aînee est infirmière à l'hôpital départemental tandis que la cadette est infirmier à l'hôpital militaire. Quant à la benjamine, qui était cuisinière au lycée technique, elle est maintenant cuisinier à bord d'un dragueur de mines.

Engage-toi dans la marine, tu seras un homme, ma fille.

(Le Nouvel Observateur)

Informations

Le titre est presque incompréhensible pour qui ne connaît pas la chanson enfantine dont il s'inspire.

« Jules est hercule,
Cyprien est musicien,
Maman somnambule
Papa ne fait rien. »

Deux phrases, à la deuxième personne, sont des pseudo-citations.
La première « Dis-moi s'il y a du chômage... » rappelle « Dis-moi ce que tu manges... » et « Dis-moi ce que tu conduis... » que nous avons déjà vues.

La seconde « Engage-toi, tu seras un homme, ma fille » rappelle le dernier vers du célèbre poème « If » de Kipling « Tu seras un homme, mon fils ».

1 *Un peu de grammaire*

a. Donnez le féminin des noms suivants :

un musicien : une . . .
un cuisinier : . . .
un infirmier : . . .

b. Sachant que Cyprienne est un prénom féminin, qu'y a-t-il de curieux dans ce titre ?
. . .

2 *Questions*

a. D'où proviennent ces offres d'emploi ?
. . .

b. Qu'y a-t-il de particulier dans leur grammaire ?
. . .

c. Les huit dernières lignes : « Vous avez des familles où ... ? ».
Est-ce que l'auteur de cet article

□ 1. affirme que de telles familles existent ?
□ 2. connaît de telles familles ?
□ 3. suppose que de telles familles pourraient exister ?

d. De quoi l'auteur se moque-t-il ?
. . .

e. Son article est-il :

□ féministe ? □ anti-féministe ?

LES COUPLES QUI DURENT

On parle souvent des couples qui se décomposent : un mariage sur quatre se termine en divorce. Mais que sait-on des milliers d'amants unis qui traversent la vie à deux? De quoi sont faits ces alliages résistants?
Comment échappent-ils à l'érosion du temps?

Au bout de 31 ans de mariage, on les appelle toujours « les amoureux ». Et ça les fait rire. Surtout quand ils repensent aux 7 années orageuses de leurs fiançailles — en ce temps-là, il fallait être capable de faire vivre une famille pour s'engager. Luis était possessif et jaloux. Antonia, effarouchée ; une mère très puritaine lui avait communiqué une belle peur des hommes. « C'est parce qu'il est patient, gentil et doux que je l'aime tellement, dit Antonia. Il m'a toujours comprise ». M.C. Colinon

Femmes d'Aujourd'hui, 20 février 1984

1 *Nous sommes en 1984.*
En quelle année Antonia et Luis se sont-ils fiancés ?
. . .
En quelle année se sont-ils mariés ?
. . .

2 *Complétez cette interview de Luis et Antonia par un journaliste.*

Journaliste : — . . . ?
Antonia : — Depuis 31 ans.
Journaliste : — . . . ?
Luis : — 7 ans.
Journaliste : — . . . ?
Luis : — Effarouchée : elle avait peur des hommes.
Antonia : — C'est vrai ! Ma mère qui était . . .
Journaliste : — . . . ?
Antonia : — Ah ! Lui, il était possessif et jaloux.
Journaliste : — Ça ne doit pas être facile de traverser la vie à deux !
Antonia : — C'est sûr. Il faut vraiment s'aimer.
Journaliste : — . . . ?
Antonia : — Parce qu'il est patient, gentil, doux et parce qu'il m' . . .

3 *Pourvu que ça dure !*

« Pourquoi êtes-vous restés ensemble ? »

A. Parce qu'on a fait beaucoup de concessions, on s'est supporté mutuellement.

B. Parce qu'on s'est toujours aimé comme des fous.

C. Parce qu'on s'aimait bien, on était de vrais amis.

D. Parce qu'on ne pouvait pas faire autrement, on n'avait pas les moyens de payer deux loyers. Ça nous revenait moins cher de vivre ensemble.

E. Parce qu'une fois qu'on est marié, on est marié.

Qu'est-ce qui a fait que chacun de ces couples a duré : LE CONFORMISME - LA TOLÉRANCE - L'AMITIÉ - LA CONVENANCE - LA PASSION.

A : . . .

B : . . .

C : . . .

D : . . .

E : . . .

Tout récemment, on a assisté à un nouvel essor du célibat, qui a presque retrouvé son niveau de jadis. Il y a aujourd'hui, en France, 2,7 millions de célibataires âgés de plus de 30 ans. D'après des prévisions récentes (un peu fantaisistes), on estime que si cette tendance se poursuivait, un tiers de la population se retrouverait bientôt célibataire.

Mais ce célibat a un style nouveau. Après la Miss anglaise, on voit surgir un nouveau type de « Miss » en France : la femme qui cherche d'abord à entrer dans une profession libérale et qui est beaucoup moins pressée de se trouver un mari.

(Paris-Match, 12-8-83.)

1 *Vrai ou Faux ?*

Cochez les phrases « vraies ».

□ a. Le célibat a atteint son niveau le plus bas.

□ b. Il n'est pas impossible que bientôt un Français sur trois soit célibataire.

□ c. Parmi les plus de 30 ans, il y a 2,7 millions de célibataires.

2 *La nouvelle « miss »*

Le deuxième paragraphe parle (choisissez)

□ a. des femmes qui refusent de se marier.

□ b. des femmes qui veulent se marier à tout prix.

□ c. des femmes qui veulent d'abord réussir professionnellement.

3 *Un titre*

Lequel choisiriez-vous pour cet article ?

□ a. Le célibat est en baisse.

□ b. Les femmes ne veulent plus se marier.

□ c. Un métier d'abord, un mari ensuite.

3. EXERCICES DE VOCABULAIRE

FAMILLES

Les liens de parenté

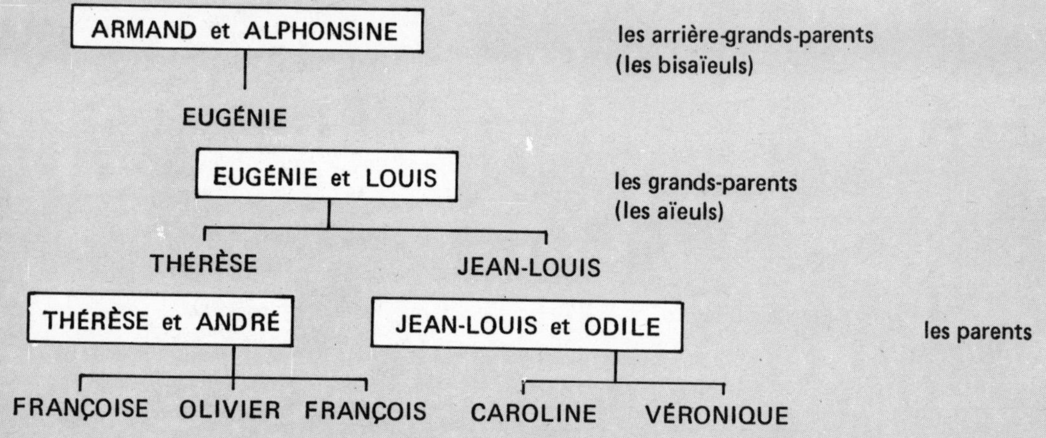

Complétez :

	Ex. :	petit-fils	de	Louis et d'Eugénie
Olivier est le	1.	fils	de	. . .
	2.	frère	de	. . .
	3.	cousin	de	. . .
	4.	neveu	de	. . .
	Ex. :	petite-fille	de	Louis et d'Eugénie
Carole est la	1.	. . .	de	Jean-François et d'Odile
	2.	. . .	de	Véronique
	3.	. . .	de	François, d'Olivier et de Françoise
	4.	. . .	de	Thérèse et d'André

PROBLÈME

Pierre et Martine se marient. Ils ont deux enfants : Jean-Pierre et Claudine.
Jean-Pierre se marie avec Jacqueline.
Claudine se marie avec Serge qui est divorcé et qui a un enfant : Jean-François. Claudine et Serge ont quatre enfants : Grégory, Nathalie, Éric et Jean-François.

1. De qui Serge est-il le gendre ? . . .
2. Qui est la belle-fille (ou la bru) de Pierre et de Martine ? . . .
3. De qui Jean-François est-il le beau-fils ? . . .
4. Qui sont les demi-frères et la demi-sœur de Jean-François ? . . .
5. De qui Claudine est-elle la belle-mère ? . . .
6. Qui est la belle-mère de Jacqueline et de Serge ? . . .
7. Qui a un oncle, une tante et des grands-parents par alliance ?

À ? CHEZ ?

Complétez en utilisant la préposition convenable.

Ex. : Il faudra d'abord passer à la teinturerie . . .

Il faudra d'abord passer à la teinturerie et . . . la boulangerie, puis porter les draps . . . la laverie, penser à aller . . . l'épicier et . . . la boucherie avant d'aller . . . le docteur. En revenant, il faudra encore s'arrêter . . . le charcutier et porter la feuille de sécurité sociale . . . pharmacien. De retour . . . la maison, téléphoner . . . plombier et prendre rendez-vous . . . le coiffeur.

SOYEZ PLUS PRÉCIS

Remplacez le verbe mettre *par un ou plusieurs verbes plus précis :* glisser - apporter - revêtir - ranger - consacrer - créer - inscrire.

1. J'ai mis ce vieux fauteuil au grenier.
→ . . .
2. Dès qu'il arrive il met partout le désordre.
→ . . .
3. Le facteur mit le prospectus sur la porte.
→ . . .
4. On m'a mis sur une liste d'attente.
→ . . .
5. Il a mis tous ses soins à réussir ce travail.
→ . . .
6. Ils mirent beaucoup de temps à rassembler ces documents.
→ . . .
7. Elle mit ses plus beaux habits.
→ . . .

Présentation du texte d'ouverture, pages 152-153.

Un petit garçon et une petite fille jouent non pas au papa et à la maman mais au mari et à la femme. Il s'agit, au début, de se répartir les rôles. A priori, c'est simple, et en effet ça commence très simplement. On remarque tout de même au passage que c'est la femme qui donne les ordres. Et pourquoi pas ? Ça se passe ainsi dans bon nombre de familles. Mais les choses se compliquent lorsque l'adulte entre en scène, adulte qui appartient à la variété sociologique que Claire Brétécher, l'auteur, prend habituellement pour cible. On s'aperçoit alors qu'elle attend des enfants qu'ils adhèrent à son mode de pensée. C'est ce que comprend tout de suite la petite fille qui, dans la narration de leur jeu, va falsifier la vérité.

Présentation de Rencontre avec... *(pages 166 à 169).*

Gustave FLAUBERT (1821-1880)

Un souci de vérité historique, le goût de la précision et du mot juste font que Flaubert a une place importante dans la littérature française du XIXe siècle. Il appartient de plein droit au courant réaliste et son œuvre est un reflet fidèle des réalités de son époque. On a pu dire ainsi que pour comprendre la Révolution de 1848 il fallait commencer par lire *L'Éducation sentimentale.* Mais le but ultime de Flaubert était l'écriture, le style, la phrase irréprochable.

Son œuvre :
On retiendra surtout *Madame Bovary* (1857), *Salammbô* (1862), *L'Éducation sentimentale* (1869), *Trois Contes* (1877) et *Bouvard et Pécuchet* (1881). On n'oubliera pas sa volumineuse *Correspondance* avec ses amis, entre autres : Théophile Gautier, George Sand, Alphonse Daudet, les Goncourt, Maupassant.

Le texte.

Extrait de *L'Éducation sentimentale* où Flaubert constate l'impossibilité de tout amour en même temps que l'impossibilité de toute transformation sociale. Car les aventures de Frédéric Moreau ont pour cadre les années 47 à 51 au cours desquelles le grand bouleversement de 48 fut suivi d'une remise en place des institutions. Le passage de la page 166, qui se situe au début du premier chapitre du roman, marque la naissance du désir de Frédéric, désir qui le torturera toute son existence, mais restera.

Rencontre avec... (pages 168-169).

Félicien MARCEAU

Auteur dramatique et romancier. Principalement connu pour ses pièces : *L'Œuf* (jouée plus d'un millier de fois en France, on en a tiré un film), *La Bonne Soupe, Les Caillous* et *Un jour j'ai rencontré la vérité.* Romancier, F. Marceau a obtenu le prix Interallié avec *Les Élans du cœur,* le prix Goncourt avec *Creezy.*
Un essai : *Balzac et son monde* ; ses mémoires : *Les Années courtes.*

Le texte : « Je voudrais un enfant de toi ».

Extrait de *Creezy* (1969), roman à la première personne dont les protagonistes sont un député français (celui qui parle) et Creezy, un très célèbre mannequin – lui, marié, enfants, elle, célibataire, libre –. Leur rencontre imprévue déclenche un cataclysme dans leur vie. Elle lui demande une « tentative désespérée pour secouer cet engourdissement... pour nous jeter hors de nous-mêmes, pour rejoindre cette vie qui ne cessait de nous échapper... pour arrêter enfin cette clameur du temps qui courait derrière nous... ». En fin de compte, c'est le temps qui est le principal acteur de ce roman, on le voit bien dans ce passage, avec les hésitations, l'attente perpétuelle, et, pour terminer le suicide de Creezy.

Paul ÉLUARD (1895-1952).

Poète de l'amour et de son contraire : l'absence d'amour. Deux femmes ont été ses inspiratrices. Gala, la future femme de Salvador Dali et Maria Benz (Nusch). Il adhère très tôt aux idées pacifistes et s'engage au service de la justice. Après la guerre, il fait partie un temps du groupe dada composé de Tzara, Breton, Aragon et leurs amis, pour adhérer ensuite au surréalisme qui lui proposait un moyen de connaissance ouvert sur l'inconscient et un mode de rénovation des techniques du langage. Mais c'est surtout l'homme de la vie, la tendresse pour les êtres et les choses qui inspirent sa poésie. Il quitte les surréalistes pour développer une poésie accessible à tous, dans un langage épuré, qui lui permette de rendre la réalité concrète du monde. Il prit une part active dans la Résistance où il devint le directeur du Comité national des écrivains. La vie et la poésie de Paul Éluard se caractérisent par leur évidence et leur simplicité.

Les œuvres :

Le Devoir et l'Inquiétude (1917), *Poème pour la paix* (1918), *Mourir de ne pas mourir* (1924), *Capitale de la douleur* (1926), *L'Amour, la poésie* (1929), *Les Yeux fertiles* (1936), *La Victoire de Guernica* (1938), *Poésie et Vérité* (1942), *Les Sept Poèmes d'amour en guerre* (1943), *Les Armes de la douleur* (1944), *Le Phénix* (1949), *Poésie ininterrompue* (1951).

DOSSIER 8

«ON SORT CE SOIR»
Arts et spectacles

AU SOMMAIRE DU DOSSIER 8

- L'interview d'un comédien, en texte d'ouverture, où Gérard Depardieu se livre totalement et se révèle un personnage extrêmement attachant.
- En document sonore, l'interview de Catherine Clément, directrice de l'AFAA, qui nous parle de ses fonctions d'exportatrice de la culture française, en même temps que d'importatrice des autres cultures.
  En pages « Regards », divers documents sur divers aspects de la vie culturelle française (musique, chanson, théâtre, cinéma).
- Et pour conclure à la fois ce dossier et Sans Frontières 3, deux autres documents sonores : un sketch de Fernand Raynaud et une chanson de Charles Aznavour.

1. EXERCICES DE GRAMMAIRE

LA CAUSE ET LA CONSÉQUENCE

1 *Reliez ces phrases à l'aide de mots de liaison exprimant la cause ou la conséquence.*

1. Elle a joué très mal. Une grande partie du public est parti avant la fin.
→ *(si ... que)* . . .
2. Vous avez fait plusieurs voyages en Amérique latine. Vous pourriez nous aider à choisir notre itinéraire.
→ *(puisque)* . . .
3. Les deux pays ont rompu les relations diplomatiques. La prise en otage de cinq fonctionnaires de l'ambassade, ce dernier week-end à Paris, a entraîné cette mesure.
→ *(à cause de)* . . .
4. Tous les prisonniers de guerre ont été libérés. L'intervention de la Croix-Rouge Internationale a été déterminante.
→ *(grâce à)* . . .
5. Nous n'avons pas organisé des confrontations de témoins. Ce n'est pas l'usage dans les commissions parlementaires. D'ailleurs, nous ne sommes pas des juges d'instruction.
→ *(parce que ... et que)* . . .
6. Si nous pensons à la qualité de ses dernières représentations, nous sommes en mesure d'affirmer que ce nouveau spectacle ne va pas décevoir son public.
→ *(étant donné)* . . .

7. Le nombre de sportifs a doublé cette année. Il a fallu créer de nouveaux centres sportifs.
→ *(si bien que)* . . .

8. Ils n'ont pas pu t'appeler. Ils sont partis en vacances il y a vingt jours.
→ *(puisque)* . . .

9. La Fédération d'Étudiants a approuvé le projet de loi universitaire. Le gouvernement a décidé de la mettre en vigueur.
→ . . .

2 *Encadrez les propositions subordonnées circonstancielles de conséquence.*

Ex. : Le bruit était si violent, si plein, qu' il me sembla ne plus rien entendre (*A. Memmi*).

1. Tu as tellement ri que tu nous as fait chavirer (*S. Beckett*).
2. Les foins avaient été beaux, de sorte que l'année dans son ensemble ne méritait ni transports de joie ni doléances (*L. Hémon*).
3. Il lui semblait qu'elle montait depuis des heures, au milieu d'un tel dédale, parmi une telle complication d'étages et de détours, que jamais elle ne redescendrait (*E. Zola*).
4. Enferme jalousement dans ton cœur ces choses. Serre-les tellement fort en toi que les nerfs te fassent mal (*C.-F. Ramuz*).

3 *Récrivez en commençant toutes les phrases par* comme.

Ex. : Elle était tellement gentille qu'on ne s'apercevait pas tout de suite de sa beauté (*Françoise Mallet-Joris*).
→ Comme elle était gentille, on ne s'apercevait pas tout de suite de sa beauté.

1. Les gens étaient devenus si nombreux qu'ils marquaient le pas, n'avançaient plus que très lentement (*R. Boussinot*).
2. Ne trouvant pas à m'asseoir commodément, je me fis servir au zinc (*M. Aymé*).
3. Étant plus connu dans son pays que dans un autre, il pouvait plus facilement y trouver des partis avantageux (*G. Flaubert*).
4. Eugène était trop sérieux pour que la plaisanterie de Bianchon le fît rire (*H. de Balzac*).

EXPRESSION DU BUT

4 *Reliez ces phrases en exprimant des rapports de but :* afin de, pour, pour que, afin que, en vue de...

1. Il travaille dans un bureau. Il veut aider ses parents.
→ . . .

2. La mairie a organisé différentes activités sportives pour l'été prochain. Sa finalité est d'encourager la pratique sportive chez les jeunes.
→ . . .

3. Tu ne veux pas avoir d'ennuis avec tes bagages ? Je t'amènerai à la gare en voiture.
→ . . .

4. Nous imposerons des prix uniformes. Tous les commerçants pourront en bénéficier.
→ . . .

5. Le délai des inscriptions sera rapporté au mois de juin. Les intéressés qui n'ont pas pu s'inscrire auront la possibilité de le faire.
→ . . .

6. Nous avons fait toutes les démarches nécessaires en ce qui concerne l'organisation de votre stage de perfectionnement dans l'institution qui vous intéresse.
→ . . .

LE BUT OU LA CONSÉQUENCE

5 *Classez les phrases suivantes en deux ensembles, selon que la subordonnée exprime le but ou la conséquence :*

1. Que pouvait-il raconter pour que Sarah partît d'un rire aussi clair ? (*D. Boulanger*). – 2. Il desserra un peu son baudrier et appela un gendarme pour qu'on nous montât des cafés (*M. Déon*). – 3. Une demeure vaste, juste assez avancée dans le délabrement pour que le temps ne la touche plus (*Irène Monesi*). – 4. La voyant sournoisement retourner sa jupe pour qu'on aperçût son jupon orné d'une petite dentelle, je lui fis les gros yeux et lui pinçai le mollet (*Catherine Paysan*). 5. Camille est assez brune pour que le blanc l'embellisse (*Colette*).

	1	*2*	*3*	*4*	*5*
But					
Conséquence					

6 *Encadrez dans les phrases suivantes les propositions subordonnées circonstancielles de but.*

1. Oh ! mon pauvre capitaine ! Je vais faire dire des prières afin que le ciel te restitue ta raison (*H. de Balzac*).
2. Alain lui ôta des mains le ravier de tomates crues et le panier de fraises, insista pour qu'elle prît du poulet à la crème (*Colette*).
3. Puis elle sonnait pour qu'on apportât la lampe (*G. de Maupassant*).
4. Le directeur donnait des ordres pour qu'on ne fît pas de bruit à mon étage (*M. Proust*).
5. Nous t'introduisons dans le camp ennemi afin que tu te familiarises avec ses armes (*D. Chraïbi*).

7 *Récrivez les phrases suivantes en remplaçant les groupes en italique. Vous choisirez parmi :* pour que, afin que, de sorte que.

1. Ces deux hommes d'État se sont rencontrés *en vue* d'une réduction des armements nucléaires.
2. Elle a écrit au percepteur *pour* se faire accorder un délai de paiement.
3. Leur professeur les a recommandés *pour* l'attribution d'une bourse.
4. L'âne appelle aussitôt le chien *à* son secours (*La Fontaine*).
5. Le gouvernement a pris des mesures *en vue* d'un accroissement de nos exportations.

L'OPPOSITION

8 *Encadrez les mots ou groupes de mots qui servent à marquer l'opposition.*

1. Malgré son intelligence, elle a peu d'ambition.
2. Bien qu'on l'eût averti, Ludovic n'a pas tenu compte du danger.
3. En dépit de la guerre, nous vivions heureux.
4. Au lieu de l'attendre pour le mener dans sa voiture, Arnoux était parti la veille (*G. Flaubert*).
5. J'avais l'impression d'être utile à l'époque, alors que je n'exerçais aucune fonction particulière (*P. Moustiers*).

9 *Remplissez les blancs à l'aide d'éléments qui expriment l'opposition :* malgré, alors que, au lieu de, bien que.

1. La course a été dure, certes, *mais non* sans émotions.
2. . . . vous ennuyer chez vous, venez passer une journée paradisiaque au parc Sans-Souci.
3. Les agglomérations françaises disposant de zones réservées aux piétons sont actuellement au nombre de 266, . . . elles n'étaient que 34 en 1976.
4. . . . il n'ait pas le type physique de son personnage, son interprétation est remarquable.
5. . . . les critiques, son livre a été réédité cette année.
6. . . . à l'étranger la saison des grandes ventes d'art bat son plein, un marchand parisien a décidé d'offrir au public une vingtaine de toiles de première qualité.

NE CONFONDEZ PAS ...

10 *Ne confondez pas* quelque... que, *et* quel (quelle) que.

Ex. : Quelque étroites que soient ces portes, on peut tout de même y faire passer une armoire.
→ Quelle que soit l'étroitesse de ces portes, etc.

Sur ce modèle, transformez les phrases suivantes (dans un sens ou dans l'autre).

1. Quelque proche que soit la mer, le poisson nous arrive d'un port étranger.
2. Quel que soit son courage, Bernard Embrun, le navigateur solitaire, n'est pas assuré du succès.
3. Quelque fragile que soit sa santé, Sébastien assure vaillamment sa tâche.
4. Quelles que soient la richesse et la diversité de notre réseau routier, il ne suffit pas à fluidifier la circulation automobile en toutes circonstances.

11 *Ne confondez pas la conjonction* quoique *(en un seul mot) et le pronom relatif indéfini* quoi... que *(en deux mots). – Complétez les phrases suivantes par la forme qui convient :*

1. . . . on fasse, Propos, conseil enseignement, Rien ne change un tempérament (*La Fontaine*).
2. . . . on fût à des lieues du Bas-Pays, le gras de l'air distillait cette atmosphère de chemins creux, de mûriers, de vignes lourdes (*J. Carrière*).
3. . . . fasse le gouvernement, il ne désarme pas l'opposition.
4. . . . vous puissiez penser de moi, je suis assuré de mon bon droit.
5. . . . elle se sente un peu fatiguée, elle a voulu reprendre son travail.

12 *Même exercice avec* quel... que *(où* quel *s'accorde avec le sujet de la proposition subordonnée) et* quelque... que *(où* quelque *s'accorde devant un nom, mais reste invariable devant un adjectif) :*

1. . . . soit la générosité qui l'inspire, son plan est inapplicable.
2. . . . satisfactions que nous ayons retirées de notre séjour aux États-Unis, nous avons dû nous résoudre à rentrer en France.
3. . . . ingénieuse qu'elle soit, notre combinaison a peu de chances de réussir.
4. Je vous recevrai . . . que soit l'heure à laquelle vous arriverez.
5. A . . . distance que vous vous trouviez, vous pourrez compter sur les équipes de secours.

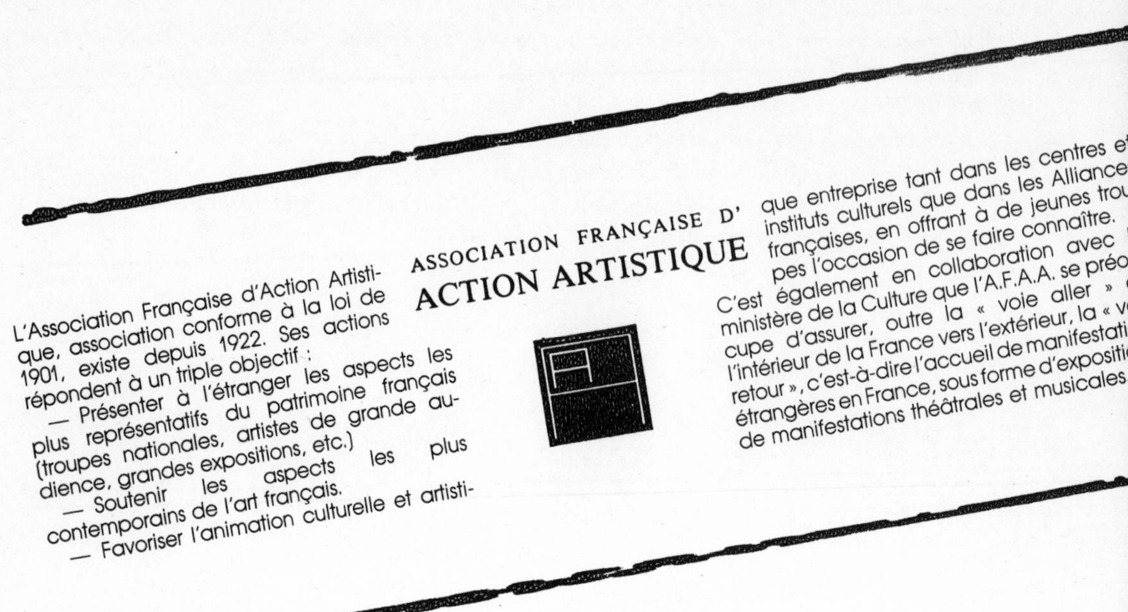

ASSOCIATION FRANÇAISE D'
ACTION ARTISTIQUE

L'Association Française d'Action Artistique, association conforme à la loi de 1901, existe depuis 1922. Ses actions répondent à un triple objectif :

— Présenter à l'étranger les aspects les plus représentatifs du patrimoine français (troupes nationales, artistes de grande audience, grandes expositions, etc.)

— Soutenir les aspects les plus contemporains de l'art français.

— Favoriser l'animation culturelle et artistique entreprise tant dans les centres et instituts culturels que dans les Alliances françaises, en offrant à de jeunes trou pes l'occasion de se faire connaître.

C'est également en collaboration avec le ministère de la Culture que l'A.F.A.A. se préoccupe d'assurer, outre la « voie aller » de l'intérieur de la France vers l'extérieur, la « vo retour », c'est-à-dire l'accueil de manifestatio étrangères en France, sous forme d'expositio de manifestations théâtrales et musicales.

Association conforme à la loi 1901 : Association à but non lucratif.

1 *L'Association Française d'Action Artistique a-t-elle été créée récemment ? Complétez ces réponses.*

Non, elle a été créée . . . 1922.
Non, elle existe . . . 1922.
Non, elle a été créée . . . plus de 60 ans.
Non, elle date . . . 1922.

2 *Vous dirigez une jeune troupe de théâtre. Vous souhaitez faire une tournée à l'étranger.*
Qui peut vous aider ? . . .
Où pourrez-vous donner des représentations ? . . .

3 *La voie aller et la voie retour.*

Classez les mots suivants en deux séries : accueil, importer, à l'étranger, intérieur, recevoir, chez soi, exporter, envoyer, extérieur.

a. Voie aller : . . .
b. Voie retour : . . .

Georges BIZET : compositeur français.

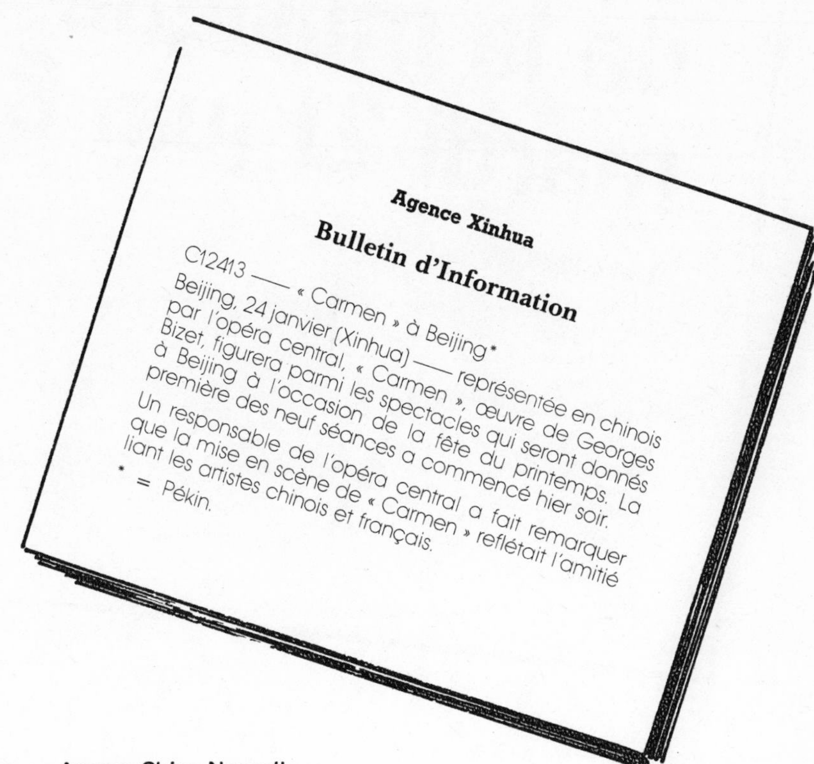

Agence Xinhua

Bulletin d'Information

C12413 — « Carmen » à Beijing*

Beijing, 24 janvier (Xinhua) — représentée en chinois par l'opéra central, « Carmen », œuvre de Georges Bizet, figurera parmi les spectacles qui seront donnés à Beijing à l'occasion de la fête du printemps. La première des neuf séances a commencé hier soir.

Un responsable de l'opéra central a fait remarquer que la mise en scène de « Carmen » reflétait l'amitié liant les artistes chinois et français.

* = Pékin.

Agence Xinhua : Agence Chine Nouvelle.
C12413 : Communiqué 12413.

1 *Le communiqué.*

- Qui l'a écrit ? . . .
- Où a-t-il été écrit ? . . .
- Que nous apprend-il ? . . .

2 *Contenu*

- Qui a écrit *Carmen* ? . . .
- Où sera représenté cet opéra ? . . .
- Par qui sera-t-il chanté ? En quelle langue ? . . .
- A quelle occasion sera-t-il donné ? . . .
- Combien y aura-t-il de représentations ? . . .

3 *Importance.*

Complétez ce texte.

Ceux qui croyaient que la Chine était complètement fermée aux cultures étrangères vont être surpris. En effet, à l'occasion de . . .

faites de la musique mardi 21 juin 83

ministère de la culture

La Fête de la Musique
Lancé trois semaines avant le 21 juin 1982, jour du solstice d'été et soir retenu pour la Fête de la Musique, l'appel du ministre de la Culture a été entendu. D'abord par les trois sociétés de télévision et toutes les radios publiques ou privées, qui se sont associées à l'initiative. Puis par l'institution musicale, qui en a compris l'importance. Enfin par les amateurs, isolés ou en groupe, qui se sont manifestés par dizaines de milliers ce soir-là sur l'ensemble du territoire, avec l'accord et bien souvent l'appui des autorités locales.

1 *Questions*

— *Pourquoi avoir choisi le 21 juin ?*

...

— *Quelle expression dans le texte montre que cette fête n'est pas exclusivement parisienne ?*

...

— *Depuis le 21 juin 1982, que se passe-t-il en France à la date du 21 juin ?*

...

2 *Complétez cette fiche*

Fête de la Musique

Lancée le ...	par ...
Se sont associés à cette initiative :	... ...

3 *Jeu de mots*

Fête de la Musique. **Faites** de la musique.
Lisez à haute voix : Fête - faites. Qu'est-ce que vous remarquez quant à la prononciation de ces deux mots ?
Avec lesquels des énoncés suivants pourriez-vous faire le même jeu de mots (fête → faites) ?

- ☐ a. Fête nationale.
- ☐ b. Fête de la Danse.
- ☐ c. Fête du Cinéma.
- ☐ d. Fête du Travail.
- ☐ e. Fête de la Libération.
- ☐ f. Fête de Jeanne d'Arc.
- ☐ g. Fête des Mères.
- ☐ h. Fête des Pères.
- ☐ i. Fête du Théâtre.

JACQUES HIGELIN, PLEIN CHANT

« Les poètes parlent dans les chansons de leur désespoir, de leur mal de vivre, des faits qui les heurtent. Ils le font parce que les politiciens ne défendent que leur business, se comportent comme si tout était bien ou allait s'arranger. En changeant de politique, on a appris aux Français que les problèmes sont loin d'être résolus. Les chanteurs vont parfois chercher leurs chansons quelque part où ça leur fait mal. Et ils donnent de l'espoir. Ils sont utiles comme les arbres. Une petite fille de dix-sept ans m'a dit l'autre jour : « *J'avais envie de me suicider. Ça allait mal. Je suis venue avec mon amie, ça m'a redonné du désir. Je ne te connais pas.* » C'est le plus beau remerciement que j'ai reçu. »

(Le Monde)

1 *Classez les mots et expressions suivants selon qu'ils se réfèrent à des situations négatives dans la vie d'un individu (difficultés, tristesse, « déprime ») ou à des situations plus positives (goût de vivre, confiance en l'avenir).*

désespoir - tout s'arrange - mal de vivre - tout va bien - les problèmes sont loin d'être résolus - ça leur fait mal - donner de l'espoir - envie de se suicider - redonner du désir.

Situations négatives	*Situations positives*

2 *Le Prince et le Poète (référence à Machiavel).*

« . . . Ils sont utiles comme les arbres. »

De qui Higelin parle-t-il ? . . .

Pourquoi dit-il cela ? . . .

Si les poètes donnent de l'espoir, que donnent les politiciens ? . . .

Il semble que les politiciens ont un peu changé, ou plutôt ont un peu changé leur discours. Que disent-ils maintenant ? . . .

De quels politiciens parle-t-il lorsqu'il dit « ils ne défendent que leur business, se comportent comme si tout allait bien ou allait s'arranger » ? . . .

3 *Erreurs*

Soulignez dans le texte ci-dessous les fausses informations.

« Il s'agit d'une jeune fille de dix-sept ans. Elle aimait beaucoup Higelin d'autant plus qu'elle le connaissait personnellement. Depuis un certain temps, elle n'avait plus envie de vivre, elle voulait mettre fin à ses jours.

Ce soir-là elle était allée voir Higelin toute seule car aucune de ses amies n'avait voulu l'accompagner. Tout allait mal pour elle. Et voilà qu'à la fin du spectacle, elle a attendu le chanteur pour lui dire que grâce à lui et à ses chansons, elle avait éprouvé à nouveau le désir de vivre. »

⑤

Le cinéma français souffre d'une désaffection du public populaire

Le public des salles de cinéma présente les caractéristiques suivantes : il est jeune (75 % des entrées sont le fait de personnes âgées de moins de 35 ans), citadin (66 % des entrées dans les villes de plus de 100 000 habitants), instruit (60 % des entrées sont réalisées par des spectateurs ayant fait des études secondaires ou supérieures) et appartient à un groupe socio-professionnel favorisé (44 % des entrées pour les milieux cadres).

1 *Quels sont les critères utilisés pour définir le public des salles de cinéma ?*

a. L'âge.
b. ...
c. ...
d. ...

2 *Lesquelles des personnes suivantes sont représentatives des spectateurs de cinéma ?*

- □ a. Jean, 23 ans, étudiant à l'université de Paris-III.
- □ b. Claudine, 36 ans, paysanne, habitant un petit village de 10 000 habitants.
- □ c. Christophe, 38 ans, garagiste, résidant à Saint-Crépin, petit village des Charentes-Maritimes. La salle de cinéma la plus proche de son domicile se trouve à 4 km.
- □ d. Robert, 34 ans, cadre supérieur d'une entreprise ayant son siège à Paris.

3 *En vous aidant des informations chiffrées données dans cet article, expliquez les titres suivants :*

a. « Le cinéma, un loisir des jeunes. »
En effet, ...

b. « Le cinéma, un loisir des citadins. »
En effet, ...

c. « Le cinéma, un loisir d'élite. »
En effet, ...

DÉSAFFECTION :

Dans ce contexte : Les salles sont moins fréquentées par le public populaire qui s'intéresse moins qu'avant au cinéma français.

4 *Complétez le texte suivant :*

Le cinéma français souffre d'une désaffection du public populaire.

Parmi ceux qui vont au cinéma, 75 % sont ... , 66 % habitent ... , 60 % ont poursuivi ... et 44 % appartiennent ... .
Le public populaire fréquente très peu les salles de cinéma.

3. EXERCICES DE VOCABULAIRE

COMPRENONS-NOUS BIEN

Choisissez la proposition a) ou b) qui convient.

Ex. : On vous tourne en ridicule.
- □ a) Les gens se moquent de vous.
- □ b) C'est vous qui vous moquez des gens.

1. Vous tournez la page sur un épisode de votre passé.
   - □ a) Vous en parlez tout le temps.
   - □ b) Vous ne voulez plus en parler.
2. Vous avez quelque chose à dire mais « vous tournez autour du pot » (familier).
   - □ a) Vous dites tout de suite ce que vous avez à dire.
   - □ b) Vous hésitez, vous n'osez pas parler.
3. Vous « tournez de l'œil » (familier).
   - □ a) Vous perdez connaissance.
   - □ b) Vous regardez quelque chose à côté de vous.
4. Vous « tournez mal » (familier).
   - □ a) En voiture, vous ne savez pas prendre les virages.
   - □ b) Vous vous conduisez mal, vous allez finir en prison.
5. Vous discutez mais la discussion « tourne au vinaigre » (familier).
   - □ a) Les gens ne sont pas d'accord mais ils restent calmes.
   - □ b) Les gens commencent à se montrer très agressifs.

SUFFIXES

Complétez les tableaux suivant les modèles.

Tableau 1.

	Verbes		*Noms féminins*
Ex. :	ignorer	⟶	ignorance
1.	souffrir	⟶	. . .
2.	jouir	⟶	. . .
3.	ressembler (à)	⟶	. . .
4.	croître	⟶	. . .
5.	connaître	⟶	. . .

Tableau 2.

	Adjectifs		*Noms féminins*
Ex. :	délinquant	⟶	délinquance
1.	important	⟶	. . .
2.	prédominant	⟶	. . .
3.	clairvoyant	⟶	. . .

Tableau 3.

	Adjectifs		*Noms féminins*
Ex. :	apparent	⟶	apparence
1.	innocent	⟶	...
2.	violent	⟶	...
3.	conscient	⟶	...
4.	cohérent	⟶	...

LE MOT JUSTE

Choisissez le mot juste.

Ex. : **prêt - près.**
a. Il est **prêt** à partir.
b. Il est **près** de partir.

1. **partie - parti.**
a. Dans une discussion, refuser de prendre ... .
b. Faire ... d'une équipe.

2. **pause - pose.**
a. Faire une ... pour se reposer.
b. Prendre une ... devant un photographe.

3. **acquis - acquit.**
a. Il a ... une propriété.
b. Veuillez signer cette facture sous la mention : pour ... .

4. **censé - sensé.**
a. Nul n'est ... ignorer la loi.
b. C'est un homme ... qui réfléchit toujours avant d'agir.

5. **fond - fonds.**
a. Ils ont décidé d'aller au ... du problème.
b. Il a revendu son ... de commerce.

SOYEZ PLUS PRÉCIS

Remplacez le verbe passe-partout se trouver *par un verbe plus précis.*

s'élever - se presser - s'étendre - se rencontrer - se manifester - se dresser.

Ex. : La forêt **se trouve** derrière le village.
→ La forêt **s'étend** derrière le village.

1. En face de la fenêtre *se trouve* un arbre centenaire. (2 possibilités)
→ ... → ...
2. De nombreux voyageurs *se trouvent* dans la petite salle d'attente.
→ ...
3. Au milieu de la place *se trouve* un obélisque. (2 possibilités)
→ ... → ...
4. C'est dans l'action que *se trouve* tout l'intérêt du roman.
→ ...
5. Les fautes les plus amusantes *se trouvent* dans les textes d'enfants.
→ ...

PRÉPOSITIONS

Complétez avec les prépositions convenables.

Ex. : aller à / en bicyclette.

1. Préférer la mer de / à la montagne.

2. Partir à / pour Paris.

3. Partir en / pour l'Angleterre.

4. Etre fâché avec / contre quelqu'un.

5. Causer avec / à un ami.

6. C'est à vous à / de parler.

4. INFORMATIONS

Présentation du texte d'ouverture, pages 176-178.

INTERVIEW D'UN COMÉDIEN

Un comédien français très célèbre, jeune, extrêmement doué, qui passe sans effort de la scène à l'écran, est ici interviewé par un journaliste du Nouvel Observateur. Tour à tour, on évoquera son enfance de semi-délinquant, son arrivée à Paris, sa rencontre avec le théâtre, sa découverte des mots, son plaisir de jouer, son rapport avec l'argent et le star-system, ses réflexions sur le théâtre et le cinéma. L'intérêt de cette interview est d'abord qu'elle porte sur un comédien « instinctif », que rien ne prédisposait au métier d'acteur, et ensuite qu'elle nous révèle une personnalité très attachante, d'une grande franchise, d'une profondeur de réflexion et d'une lucidité étonnantes.

Présentation de Rencontre avec... *(pages 190-193).*

Fernand RAYNAUD

Il est mort dans un accident de voiture et tout le monde le regrette encore. Il aura fait rire les Français pendant trente ans. C'était un homme de sketches, c'est-à-dire de courtes histoires où ses talents de conteur et de mime le disputaient à son sens de l'humour; un humour caustique où il se plaisait, tel un La Bruyère des temps modernes, à fustiger les comportements ridicules de ses contemporains. Il laisse une discographie importante, et on peut trouver en librairie les textes de ses sketches.
Dans Balendar, il se moque gentiment du petit monde des comédiens (Woody Allen le fait aussi dans *La Rose pourpre du Caire*) et plus spécialement des comédiens de seconde zone, ceux des médiocres tournées en province, des gens très imbus d'eux-mêmes, prétentieux, grandiloquents

et finalement dérisoires. Qu'on en juge : Balendar évoque des tournées internationales qu'il n'a pas faites et des lieux prestigieux dont il ne connaît que le nom, pour nous ramener plus modestement à Rodez (petite ville de province) en 1913 (on admire la rime au passage). La pièce classique n'était pas du Corneille, du Racine ou du Molière. Son seul titre, « La Grosse Nana », déclenche le rire immédiatement. Son rôle, qu'il semble annoncer comme important, n'est que le huitième, mais attention ! le huitième principal rôle. On le voit, c'est un humour surtout fondé sur les mots.

Pour nous impressionner, il nous parle d'un public qu'il fait passer pour prestigieux (un général représenté par un caporal, la municipalité représentée par la femme du secrétaire du deuxième adjoint, bref du beau monde !). Quant à l'anecdote qu'il nous « narre » (préciosité pour dire « raconter ») elle est du dernier ridicule, sans parler des répliques qu'il cite (et qui sont restées très célèbres encore aujourd'hui, comme beaucoup de « mots » de Fernand Raynaud) qui n'ont rien à voir avec une pièce « classique ». Le comique des mots, un peu comme dans Molière, va de pair avec un comique de situation. Mais il convient de ne pas oublier la voix de Fernand Raynaud, les accents qu'il prend, les imitations qu'il fait. Vraiment un grand du music-hall!

Charles AZNAVOUR (pages 192-193).

Encore un « monstre sacré », un géant du music-hall, dont la célébrité est mondiale, une voix qui a eu du mal à s'imposer dans les années 50 auprès d'un public habitué aux chanteurs « à voix ». Après les comédiens dérisoires de Fernand Raynaud, ce sont ici les chanteurs de seconde zone, eux aussi, qu'on appellerait aujourd'hui des « ringards ». On a 18 ans, des ambitions, du courage, mais finalement aucun talent. On rêve, on fantasme, mais surtout on « galère » (vocabulaire très actuel), on « mange de la vache enragée » (vocabulaire un peu moins à la mode), on est un raté et on accable le monde qui ne vous comprend pas. Pourtant, on a toujours l'espoir...
Il va sans dire que cette chanson de Charles Aznavour n'a vraiment rien d'autobiographique !

CORRIGÉ DES EXERCICES

DOSSIER 1

Exercices de grammaire

1 a → 5 : Ma nouvelle lessive, dont je ne dirai pas le nom, fait des merveilles.
b → 6 ; c → 9 : Une locataire, à qui je n'ai jamais parlé, m'a prévenu de votre départ ; d → 3 ; e → 10 ; f → 1 : Le tuyau d'arrosage, que j'ai réparé hier, est encore percé. g → 4 : Un accident, dont j'ignore les causes, s'est produit... ; h → 7 ; i → 2 ; j → 8 : La grange où l'on dormait a failli brûler.

2 1. Il habite chez son vieil oncle que l'on appelle « le père Grégoire ». 2. Ce jeune Américain a prononcé quelques mots auxquels je n'ai rien compris. 3. Voici la vieille chapelle dont je t'avais parlé. 4. J'admire beaucoup la basilique de Vézelay dont le tympan est le plus beau chef-d'œuvre de la sculpture romane. 5. Nous approchons de la forêt où (ou : dans laquelle) les chasseurs ont organisé une battue.

3 1. dont. 2. dont. 3. de qui. 4. dont. 5. desquels.

4 1. lesquelles. 2. laquelle. 3. duquel. 4. laquelle. 5. lesquels. 6. auxquelles. 7. desquels. 8. laquelle. 9. laquelle. 10. duquel.

5 1. ... des gens *malheureux* - 2. ... une petite voiture *télécommandée* - 3. Tous les élèves *présents* ... 4. ... la forme est *circulaire* - 5. ... un avion plus *rapide...* 6. ... de montres *étanches* 7. ... un rasoir *électrique.*

6 1. Le clochard, *recroquevillé* au bas du mur, semblait... 2. La carriole, *grinçant* et *brinquebalant* sur ses roues incertaines, ... 3. Mon père, *fronçant* les sourcils d'un air fort mécontent, ... 4. Les arbres, *secoués* par la tempête, ... 5. ... ses livres *empilés* à même le sol.

7 1. Il attendait sa femme, avec qui il avait rendez-vous, au métro République. 2. Mon père a acheté à la fermière un fromage dont l'odeur a empesté notre voiture... 3. La neige tombait avec de gros flocons blancs sur l'homme qui la regardait. 4. En courant, il bouscula dans une flaque d'eau, une femme qui cria d'indignation.

8 1. Toi qui. 2. Moi qui. 3. vous qui. 4. eux qui (ou elles qui). 5. Eux qui (ou Elles qui...). 6. et moi... - nous. 7. Vous qui. 8. Toi qui.

9 1. C'est - c'est - Il y a - voici - c'est. 2. ce n'est peut-être pas... 3. voici. 4. Il était une fois... 5. Voilà - ce n'est pas rien.

10 1. ... j'entendais - qui causait. 2. habitait - était adossée soutenaient - baignaient - s'appelait - c'était.

11 a eu - ai marché - ai joué - me suis tapi - est mort - n'es[t] plus resté.

12 ont osé - se sont approchés - ont prononcé - se son[t] entrouvertes - ont franchi - sont entrés - ont vu - son[t] ressortis.

13 s'est levée - a descendu - l'a suivie - n'a pas paru - se son[t] éloignés - tournait - a donné - j'ai aussi aperçu - faisait tondait - ont fait - a vus - sont arrivés - a sonné.

14 1. avait réservée. 2. avait rassemblée. 3. avait perdue 4. avait décidé. 5. avais prévenu. 6. avait vécues.

15 1. Les savants pensent qu'il peut exister une forme d[e] vie sur la planète Mars. 2. Mon père est désolé qu[e] mon frère aîné ait raté son bac. 3. La radio a annonc[é] qu'un ouragan venait de ravager la Jamaïque. 4. Tout l[e] monde sait qu'Astérix est un personnage imaginaire 5. Si tu t'imagines que ça va durer toujours, tu t[e] trompes !

16 1. juges. 2. soyez obligé (obligés). 3. prenne. 4. se ré[-]duisent. 5. pérît (plus couramment : périsse - présen[t] du subjonctif).

17 1. Je ne pense pas que vous ayez raison. 2. Il ne m[e] semble pas que l'inflation doive diminuer. 3. Je n[e] crois pas que cet hôtel soit confortable. 4. Il ne pens[e] pas que le pouvoir d'achat des travailleurs s'accroisse.

Exercices sur documents
(Le dessin de Reiser)

1
- Il est Français.
- Le béret et la baguette.

2
- *Nous, les Français, nous avons* le plus beau pays du monde.
- *Nous, les Français, nous sommes* les plus intelligents

3 a) Le personnage dessiné par Reiser porte un béret
b) Le petit bonhomme que Reiser a dessiné a une baguette sous le bras.

4
- Dans cette vignette, Reiser représente le Français moyen par une seule image, celle du béret et de la baguette de pain.

- Reiser nous présente ici le cliché qui consiste à désigner le Français moyen en une seule image : béret et baguette de pain.
- Le petit bonhomme dessiné par Reiser est un symbole de l'image du Français moyen.
- Pour se moquer un peu des Français, Reiser les représente par un cliché : béret et baguette de pain.
- Reiser nous montre ici une image du Français moyen, celle qu'il utilise comme symbole dans ses histoires.

Les Immigrés ont la parole.)

1 a - 2
b - 3
c - 1

2 Ce sondage donne la parole aux Immigrés et aux Français.

3

DISCRIMINATION	*LOGEMENT*	*TRAVAIL*
inégalité	habitat	chômeur
ségrégation	espace vital	
racisme	demeurer	emploi
différence	H.L.M.	permis de travail
ségrégationniste	loyer	mouvance sociale
		chômage

4 *Liste 1. Conditions Favorables* : bien payé, intéressant, lucratif, créatif.
Liste 2. Conditions Défavorables : pénible, dangereux, fatiguant, dévalorisant, mal rémunéré, fastidieux, répétitif.

Texte de Hobsbawm.)
1. b
2. 1968 - 3 / 1944 - 1 / 1936 - 2 /

Exercices de vocabulaire

Récriture 1

1. jouissons des (plaisirs les plus simples). 2. répand. 3. a incarné. 4. je me suis vengé.

Suffixes 1

1. le réalisme. 2. le conformisme. 3. l'égalitarisme. 4. le socialisme. 5. le militarisme.

Récriture 2

1. sa sociabilité. 2. leur désinvolture. 3. sa déception. 4. la conformité.

Suffixes 2

1. fascination. 2. incarnations. 3. élévation. 4. réalisation.

Récriture 3

1. très gentiment. 2. avec élégance. 3. beaucoup de. 4. à un bon prix. 5. ce n'est pas quelqu'un d'autre. 6. très.

Les contraires

2→g ; 3→b ; 4→f ; 5→a ; 6→d ; 7→h ; 8→c.

Récriture 5

1. raconte. 2. expliquer. 3. avouer. 4. prétendre. 5. annoncer.

DOSSIER 2

Exercices de grammaire

1 a) Forme active : 1 - 3 - 4 - 5 - 6 - 8 - 9 - 10.
b) Forme passive : 2 - 7 - 11.

2 Ont un passif : convaincre - fonder - adoucir - arroser - obéir - récompenser - combattre.
N'ont pas de passif : nager - survenir - plaire - partir - sourire - faiblir.

3 a) marcher - b) marcher - c) marché ? - d) marcher - e) marché ?
a) compter - b) compter - c) compté ? - d) compter ? - e) compté ?
a) étonner - b) étonné - c) étonner - d) étonné - e) étonner.
a) crier - b) crié - c) crier - d) crié - e) crier.

4 1. Elle a été découverte inanimée... 2. Françoise a pleuré parce qu'elle avait été grondée. 3. La révolte fut étouffée dans l'œuf. 4. Toutes les femmes de la ville se sont réunies sur la place.

5 1. Les tomates *se vendent* à un prix exorbitant cet hiver. 2. « Le lac des cygnes » *se donne* chaque année au Bolchoï de Moscou. 3. « Hamlet » *se jouera* l'été prochain au festival d'Avignon. 4. Il ne *se donne* pas dans cette maison un coup de rasoir... 5. Beaucoup de sottises *se profèrent* dans ce salon. 6. Les dégâts *s'évaluent* à plus de dix millions.

6 1. — Un nouveau magasin *a été ouvert* dans la rue Servan.
— *Ouverture* d'un nouveau magasin dans la rue Servan.
2. — Une exposition Picasso *a été inaugurée* par le ministre de la Culture.
— *Inauguration* d'une exposition Picasso par le ministre de la Culture.
3. — L'entreprise EDMAR *est réorganisée* par la nouvelle Direction.
— *Réorganisation* de l'entreprise EDMAR par la nouvelle Direction.
4. — Le carrefour de la route Minervoise *a été aménagé.*
— *Aménagement* du carrefour de la route Minervoise.
5. — La vallée de l'Orbieu *a été reboisée.*
— *Reboisement* de la vallée de l'Orbieu.

7 menu : nom et adjectif ; chalut : nom ; relut : verbe ; bossu : adjectif et nom ; issu : adjectif ; diffus : adjectif ; fus : verbe ; cru : verbe ; allée : verbe ou nom ; conduit : verbe ou nom ; nuit : verbe ou nom ; inouï : adjectif ; épanouit : verbe.

8 tonna - s'aplatirent - tapèrent - pressèrent - vinrent - partit - craqua - s'illumina - souleva - entendis - rentrai - enfermai.

9 1. resta - fit. 2. courus - venaient. 3. se leva - arpenta - faisait.

10 a) commença. b) construisirent. c) se virent. d) revenait. e) devint. f) donnèrent.

11 1. avaient achevé. 2. étaient déjà partis. 3. avaient oublié. 4. avaient-ils fait. 5. était partie.

Exercices sur documents

(Le Kiosquier)

1 c.

2 a) Les gens *s'en foutent* / La vie politique, *ils n'en ont rien à faire.*
b) On se rend compte à la vente des journaux que les gens / ne s'intéressent pas à la vie politique.
ne sont pas intéressés par la vie politique.

(« Le Petit Journal »)

1
- La victime, son frère et sa belle-sœur qui le coupe en morceaux.
- La marmite.
- Un porc.

2

qui (a fait)	quoi	comment
• *le frère*	1. *l'ont tué*	• à coups de hache
• *la belle-sœur* d'un homme	2. *l'ont coupé en morceaux*	• *avec une hache*
	3. *l'ont fait bouillir*	• *en mettant les morceaux dans une marmite*
	4. *l'ont jeté en pâture aux porcs*	

3 a été tué / l'ont coupé / hache / l'ont fait / jeté /

(« Non à l'Uniformité »)

1 une semaine / Protester contre la diminution des recettes publicitaires des magazines, ce qui les condamnerait à avoir un langage uniforme / Chacun de ces magazines a publié trois pages blanches / NON À L'UNIFORMITÉ ; OUI À La Presse Magazine /

2 TROIS PAGES BLANCHES

DÉFINITION	FINALITÉ
1. C'est un symbole, un refus, une alerte.	1. Pour refuser l'uniformité qui nous guette.
2. C'est la négation de notre mission qui est de vous informer et de vous divertir	2. Pour affirmer plus que jamais que notre diversité est la garantie de votre liberté de choisir.
	3. Pour vous dire que les moyens d'existence de la presse magazine sont menacés.

3 *JOURNALISTE* : informer - divertir - garantir la liberté du choix - mettre au courant.
LECTEUR : s'informer - se distraire - se détendre - choisir un article - se mettre au courant.
(Ouest-France)

1 Ouest-France / 707 661 quotidiens / 38 / 12 / 2,60 F / 340 journalistes - quelque 4 000 correspondants locaux/

2 / à la diversité des éditions / au nombre important des effectifs rédactionnels / à la qualité du contenu et de la présentation / position / quotidiens /
place

(Radio : Les effets de la concurrence)

1 A : radio, auditeur, transistor, écoute.
B : téléspectateur, écran.
→ A et B : information, variétés, programme, diffusion.

(« Moi, je lis Var »)

1 a. Faux / b. Vrai / c. Faux / d. Vrai.

2 Résultats du test : B, C, D, A.

Exercices de vocabulaire

Le mot juste

1. a) de changement - b) évolution ; 2. a) synthèse - b) résumé ; 3. a) étude - b) analyse ; 4. a) vrai - b) authentique ; 5. a) compliquée - b) complexe.

Le préfixe mono-

1. monologue. 2. monogame. 3. monosyllabes. 4. monoplace. 5. monothéistes.

Suffixes

- 1. la fidélité des lecteurs. 2. l'authencité d'un tableau. 3. la multiplicité de la presse. 4. l'actualité d'un problème. 4. la difficulté d'une question.
- 1. un problème simple. 2. une question complexe. 3. une information crédible. 4. un danger proche. 5. un chanteur populaire.

Récriture 1

1. l'effrayer. 2. prolonger. 3. expliquer. 4. (elle) n'appartient plus. 5. répandu. 6. persuader. 7. se rappeler. 8. imposer.

Synonymes 1

1 → h ; 2 → g ; 3 → f ; 4 → b ; 5 → a ; 6 → c ; 7 → c.

Récriture 2

1. Vous avez rapidement achevé ce travail. 2. Il est passionnément amoureux. 3. Nous ne pouvons pas rester ici indéfiniment. 4. Il a instantanément refusé.

Synonymes 2

1 → a ; 2 → d ; 3 → e ; 4 → f ; 5 → c ; 6 → b.

DOSSIER 3

Exercices de grammaire

1 1. — Vois-tu cette lumière dans les arbres ?
— Est-ce que tu vois cette lumière dans les arbres ?
2. — Comment est-ce que vous vous appelez ?
— Comment vous vous appelez ?
3. — D'où viens-tu ?
— D'où est-ce que tu viens ?
4. — Qu'est-ce que vous cherchez ?
— Vous cherchez quoi ?
5. — À quelle heure la séance commence-t-elle ?
— À quelle heure est-ce que la séance commence ?

2 1. Pouvez-vous me dire où est la rue des Halles, s'il vous plaît ? 2. Dites-moi quelle est la route la plus directe pour gagner Le Puy ? (ou Pouvez-vous m'indiquer la route la plus directe pour gagner Le Puy ?). 3. Dites-moi si mon fils a des chances de passer en quatrième ? (ou Pouvez-vous me dire si mon fils a des chances pour passer en quatrième ?). 4. Savez-vous où se trouve la Comédie-Française ? (ou Pouvez-vous m'indiquer où se trouve la Comédie-Française ?). 5. Dis-moi pourquoi (ou Peux-tu me dire — m'expliquer — Sais-tu pourquoi) Papa fait cette tête-là ?

3 1. Elle lui demanda à qui il tenait le plus : à Jacques ou à elle. 2. Et je t'ai demandé qui l'avait inventé. 3. Lafcadio impatienté se demandait s'il aurait bientôt fini de jouer avec la lumière. 4. Solal lui demanda avec politesse s'il savait faire le grand écart. 5. Je ne saurais dire si elle portait une voilette.

4 anxiété : 5
impatience : 2 - 6
insistance : 4
politesse : 1 - 3
surprise : 7

5 1. Il pensa qu'il allait se faire pincer les doigts. 2. Elle criait qu'on avait tiré sur M. Jaurès. Il dit qu'il pouvait maintenant monter à sa chambre mais qu'il ne connaissait pas le chemin. 4. Il songea qu'il ne pourrait plus remettre les pieds dans cette maison.

6 1. On espérait que le beau temps viendrait.
2. Le chef prétendait que le nouvel apprenti réussirait son C.A.P.
3. Je croyais que tu courais plus vite que les autres.
4. Je savais que vous feriez tout votre possible pour réussir.
5. Tu t'imaginais que je saurais me débrouiller seul !

7 1. auront passé. 2. n'aura pas fini. 3. auront déménagé. 4. auras passé. 5. aura terminé. 6. aura repassé. 7. aurai lu. 8. aurai achevé.

8 1. Lorsque nous serons arrivés, nous monterons la tente. 2. Dès que tu seras rentré, tu me téléphoneras. 3. Après que la cérémonie sera terminée, la cathédrale restera illuminée. 4. Quand le maire aura terminé son discours, la fanfare municipale donnera un concert sur l'esplanade. (Phrases données à titre d'exemple.)

9 1. viendrait. 2. céderions. 3. dévoilerions. 4. reviendrait. 5. viendrais. 6. travaillerais. 7. abandonnerais.

10 1. Je me disais parfois que nous serions emportés dans une crise dont nous aurions le plus grand mal à sortir. 2. Le président a averti les ministres qu'ils ne devraient plus faire de confidences indiscrètes aux journalistes. 3. J'étais sûr que ton mal de tête se passerait si tu prenais un demi-comprimé. 4. On a dit que les États-Unis et l'U.R.S.S. ouvriraient des négociations sur la réduction des armements.

11 1. À peine est-il levé qu'il se met déjà au travail. 2. Avec beaucoup d'habileté, peut-être obtiendrez-vous son pardon. 3. Sans doute sais-tu qu'Alexandre est marié depuis trois mois. 4. Au moins faudrait-il que nous retardions notre voyage de deux jours. 5. Aussi bien ne m'écoutera-t-elle pas.

Exercices sur documents

(« Indices »)

1 1982 - 80 000 / 70 milliards de francs / 3,2 (milliards)
1983 - 120 000 / 90 milliards de francs / 1,8 (milliard)

2 1 : a augmenté de / 2 : augmentation / 3 : a diminué /

(« Les Français et la cuisine »)

1 GASTRONOMIE - b / CHEF - d / CUISINE - a / GASTRONOME - c /

2 A. Excusez-moi, mais à mon avis, vous ne consacrez pas assez de temps à votre déjeuner / vous mettez très peu de temps pour déjeuner /
B. Vraiment, je trouve que vous passez juste le temps qu'il faut à faire vos courses.
C. Mais, j'estime que vous mettez (beaucoup) trop de temps pour faire un simple repas.

3 b - c - e - g.

(« Dis-moi ce que tu manges »)

1 b)

2 diabétiques - hyperlipoprotéinémiques - obèses - maladies cardio-vasculaires.

(« Nous mangeons trop de viande... »)

1 c)

2 *La consommation de viande en France*

1930 : *52* kg par habitant et par an
140 g par *habitant* et par *jour*

1984 : 104 kg *par habitant* et *par an*
280 g *par habitant* et *par jour*

- *Premier* consommateur de viande d'Europe
- Quatrième *consommateur* mondial.

(« Chiffres »)

1 a - 5 / b - 1 / c - 2 / d - 4 / e - 3.

2 a) alcool / alcool pur / vin / spiritueux / bière /
b) Le vin est la boisson la plus consommée en France.
c) à peu près 60 %.

3 Conséquences directes : psychose alcoolique / cirrhose du foie.
Conséquences indirectes : accidents divers / cancer des voies aérodigestives.

Exercices de vocabulaire

Le mot juste

1. a) réjouit - b) se réjouit ; 2. a) s'habitue - b) habitue 3. a) s'assurer - b) nous assurer ; 4. a) se voit - b) voit c) se voit - d) se voit.

Récriture 1

1. masque. 2. révéler. 3. bouleversée. 4. révélaient 5. bouleverser. 6. accéder.

Oppositions

1 → d ; 2 → a ; 3 → c ; 4 → f ; 5 → b ; 6 → g ; 7 → e.

Expressions idiomatiques

1. Vous avez mangé votre pain blanc le premier. 2. Vous vous laissez manger la laine sur le dos. 3. Vous mangez à tous les râteliers. 4. Vous avez mangé du lion. 5. Vous avez mangé de la vache enragée.

Récriture 2 2

1. a avalé. 2. déjeuné (ou dîné). 3. se nourrir. 4. dépensé. 5. consomme. 6. couvre.

Polysémie

2. diététique, chinoise, campagnarde, bourgeoise 3. au beurre, indigeste. 4. moderne, rustique. 5. louche électorale.

DOSSIER 4

Exercices de grammaire

1 1. personne. 2. pas (ou plus). 3. aucune. 4. rien. 5. Jamais. 6. n'. 7. plus. 8. Nul. 9. aucun.

2 pronoms : 1. personne - 2. rien - 3. rien - 4. Nul.
adjectif : 5. Aucun.
Remarque : les indéfinis à valeur négative sont toujours accompagnés de la particule négative « ne » la négation exprimée est absolue.

3 1. autre chose. 2. quelque chose. 3. quelqu'un. 4. quelque chose.

4 1. aucun. 2. Personne. 3. Nul (ou Personne). 4. Nul 5. aucune. 6. Aucun.

5
les gens : 2
nous : 3 - 4 - 5
je : 6
tu, vous : 1

6 + —

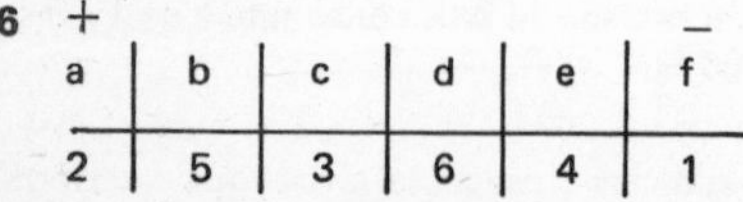

a	b	c	d	e	f
2	5	3	6	4	1

7 sont toujours adjectifs : quelque - chaque - quel - différents.

Exercices sur documents

(« Solitude des grands ensembles »)

1 a. villes de banlieue / b. grands ensembles / c. immeuble / d. espaces verts.

2 a. « Si je tombe sur un voisin et que je n'ai pas mon fils avec moi, nous n'engageons pas la conversation. »
b. « Si une voisine de mon immeuble me croise dans le couloir et que je suis seul, elle ne m'adresse pas la parole. »
c. « Si je suis avec un enfant et que je rencontre un inconnu, le contact s'établit. »

3 b / e / f.

(« Le Troc-Temps »)

1 l'avenir de la famille
- Comment éviter le repli des familles sur elles-mêmes.
- Que faire pour que les habitants d'une ville neuve ne restent pas étrangers les uns aux autres.
- Comment les inciter à se rencontrer, à se découvrir.
- La création d'un marché de services mutuels avec pour monnaie le temps.

2 a (–) / b (–) / c (+)

3

Jean	Il propose de donner un coup de pouce aux faibles en Maths	en échange	Il aurait besoin d'un coup de main pour installer son garage.
Aline	Elle est prête à enseigner l'art du patchwork	en retour	Elle souhaite faire garder son bébé
Autres	Quelqu'un offre 2 h de cuisine Quelqu'un d'autre se propose pour faire 3 h de bricolage Un troisième donnerait 1 heure d'anglais		Quelqu'un a besoin de 2 h de repassage Quelqu'un d'autre demande 3 h de jardinage Un troisième aurait besoin d'une heure de piano.

(« ... la Police... »)

1 a. « C'est une voiture formidable, elle va très vite, consomme peu, sans parler du confort qu'elle offre ! »
b. « Il y a des jardins partout, de jolies maisons, sans parler du silence qui y règne ! »

(« Monsieur Bruit »)

1
- Parce qu'on est malade.
- Au mois d'août, c'est l'été en France, il fait beau. Il est donc étonnant que les gens soient malades et toussent lors des concerts.

2 *Parodie*
/ nouveaux se sont établis au nord de Valence / dans les champs, on y a installé des épouvantails / ont été prolongées à / intolérable / qu'il y ait des gens qui toussent /

xercices de vocabulaire

Ne confondez pas !

1. a) ouvert un œil - b) ouvrir l'œil. 2. a) de l'assurance - b) une assurance. 3. a) compte - b) des comptes. 4. a) la porte - b) ma porte.

Contraires

1 → b ; 2 → a ; 3 → d ; 4 → e ; 5 → c

Récriture

1. vous pouvez la refuser. 2. faites attention à ne pas laisser les clés à l'intérieur. 3. nous devons vous dire au revoir. 4. il est bien reçu partout.

Suffixes

1. Un mur séculaire. 2. Une femme autoritaire. 3. Un événement spectaculaire. 4. Un problème secondaire. 5. Un budget déficitaire. 6. Une émission hebdomadaire.

DOSSIER 5

xercices de grammaire

1 1. des - de. 2. des. 3. d'. 4. des. 5. d'. 6. de. 7. de. 8. de

2 1. Il ne nous reste pas d'espoir. 2. La météo ne prévoit pas de neige. 3. Je ne reprendrai pas de fromage. 4. Cela ne me fait pas de bien. 5. Nous n'allons pas prendre de retard.

3 1. Il ne fait pas de fautes. 2. Nous ne buvons pas de limonade. 3. Elle ne fait pas de projets. 4. Vous n'écouterez pas de musique. 5. Tu ne me donnes pas de mal.

4 1. Pierre. 2. une marguerite. 3. René. 4. mon devoir. 5. la brûlure de Georges.

5 1. la plus grande. 2. la plus chère. 3. Jean est le plus intelligent (René est le moins intelligent) ou : c'est Jean qui est le plus intelligent. 4. Sylvie parle le plus mal anglais (ou Nathalie parle le mieux l'anglais).

6 1. moindre. 2. meilleur. 3. pires. 4. moindre. 5. pire.

7 1. J'ai trop de choses à faire pour :
- que je sache par où commencer
- savoir par où commencer.

2. Nous avons emporté assez d'argent pour que nous puissions bien profiter de la Foire du Trône (pour pouvoir bien profiter de la Foire du Trône).
3. Les étoiles et la lune brillent (assez) suffisamment pour que nous puissions dîner dehors, sur la terrasse.
4. Cette découverte est trop récente pour que nous puissions nous prononcer.

8 1. Les élections n'auront pas lieu avant six mois. 2. Les voyages dans la lune ne seront pas interrompus pour longtemps. 3. Je n'aimerais pas habiter en montagne. 4. Vous ne prenez sans doute pas d'eau minérale avec votre jus de fruit. 5. Cette année, ses parents n'ont pas invité d'amis pour le réveillon de Noël. 6. C'est une maison qui ne fait pas de publicité à la télévision.

9 1. Marie-France n'a jamais faim. 2. Le concert n'a pas encore commencé. 3. Le train n'est pas encore en gare. 4. Je n'ai plus d'argent. 5. Le vent ne souffle jamais à pareille hauteur. 6. L'express n'est jamais en retard. 7. Nous n'avons plus le temps. 8. Je n'ai jamais eu beaucoup de chance.

10 1. Les prisonniers avaient encore de l'espoir. 2. La crue de la rivière a fini de s'étendre. 3. Je bois toujours de l'eau entre les repas. 4. Les États-Unis ont déjà commencé à restreindre leur consommation de pétrole. 5. Il reste encore des trésors archéologiques à trouver dans ce champ de fouilles.

11 1. Un riche laboureur, sentant sa mort prochaine, ... 2. Une voiture, roulant à trop vive allure, ... 3. Le bateau, s'éloignant du port, ... 4. Les banques, étant la cible des gangsters, ...

12 1. Ayant pressé le pas, il réussit à arriver à l'heure. 2. Ayant conclu le marché, les deux paysans trinquèrent. 3. S'étant réveillé, le voyageur s'est précipité à la fenêtre du wagon. 4. Le Cyclope ayant barré l'entrée de la grotte, Ulysse et ses compagnons se trouvaient prisonniers.

Exercices sur documents

(« Consommation : des achats très sélectifs »)

1 ÉCONOME : c - f / DÉPENSIER : a - b - d - e.

2 « Il privilégie le sport au détriment de ses études. »
« Elle privilégie sa maison au détriment de sa vie professionnelle. »

3 « Cet étudiant néglige ses études au profit du sport. »
« Cette dame néglige sa maison au profit de sa vie professionnelle. »

(« Consommation de masse contestée »)

1 a
- C'est moins cher qu'au village mais comme toutes les marchandises sont exposées, elle est tentée d'en acheter davantage. Elle dépense donc plus d'argent. C'est pour cette raison qu'elle ne va plus faire ses courses dans les grandes surfaces.

2 *POUR* : prix intéressants - abondance de produits - beaucoup de choix parmi des produits identiques - rapidité des achats.
CONTRE : produits standardisés - incitation à la dépense.

(« B.N.P. » - document publicitaire)

1 — La personne représentée sur la publicité.
— Il est banquier.
— Il s'adresse aux clients de la B.N.P.

3 b / c / d.

(Rêves à louer)

1 C'est une personne qui possède
- énormément d'argent.
- une grande fortune.

2 ... posséder l'innaccessible.
... en passer par la location.

3 1 : b - c - e
2 : a - d - f - g - h.

(« L'addition... »)

1 un client - au garçon - dans un restaurant.

(« Histoire d'un vrai... »)

1 A . b « Oh, vraiment je n'ose pas ! »
B. c « Je suis un peu ennuyé, monsieur : un chèque de cette somme, justement un vendredi après-midi. Vous comprenez, les banques...
C . c « Je vais en rêver ! Si tu savais comme je suis contente ! »
D. b « Ah, Monsieur ! ... mais vous saviez que votre compte n'est provisoirement pas approvisionné ? »

2 Les banques étant fermées, le vendeur ne pourrait pas savoir si le compte du client était approvisionné ou pas.

3 « Mais évidemment » / « Bien entendu ! » / « Mais bien entendu ! » /

Exercices de vocabulaire

Le mot juste 1

1. a) admirable - b) admiratif. 2. a) désireux - b) désirable. 3. a) méprisables - b) méprisant. 4. a) dédaigneuse - b) dédaignable.

Classement

1 1. A - B - E - F ; 2. B - E - F ; 3. A - B - C
4. A - B - C - D.

Le mot juste 2

1. solde. 2. paye (ou paie). 3. honoraires. 4. arrhes. 5. cachets. 6. bourse. 7. traitement. 8. prêt. 9. rappel. 10. loyer - quittance. 11. pension. 12. salaire.

Logique !

1.B - 2.A - 3.B - 4.A

Famille

1. emportez. 2. rapportez. 3. transporter. 4. rapporte. 5. rapporte. 6. déporte. 7. transporté.

Le mot juste 3

1. emmènent. 2. emporte. 3. amené. 4. amène. 5. mène. 6. porter. 7. emporté.

DOSSIER 6

Exercices de grammaire

1 1. Avant que le soleil (ne) se lève. 2. Dès que nous serons partis. 3. Depuis que la nuit est tombée. 4. Pendant que nous voyageons. 5. Après que l'avion a décollé.

2 1. ... avant que le soleil (ne) se lève. 2. Avant que n'entre dans ma cellule, il ... 3. Dès que j'eus donné premier coup d'œil, je ... 4. ... après qu'elle eut pris u biscuit trempé dans deux doigts de cassis. 5. ... jusqu ce qu'il parvînt au dernier moment de sa vie (ou jusqu'à ce qu'il eût atteint le dernier moment de sa vie

3 Ce jour-là nous avions eu une très belle surprise. Nou nous promenions dans ces ruelles étroites et sombre où vivent des familles de marins, quand nous avio entendu une voix familière qui nous appelait. C'éta Pablo, notre ami argentin. Il était arrivé la veille po participer à une exposition de peinture. Le soir, no sommes allés ensemble au Palais de la Musique et po le lendemain nous avions déjà organisé une promena dans les jardins publics. Malheureusement nous devior partir la semaine suivante et Pablo ne pourrait pas no rejoindre cette année-là à Paris. A ce moment-là, n'était pas facile de faire de longs voyages.

4 1. ... avant que le courrier ne parte. 2. ... avant qu nous atterrissions à New York. 3. ... avant qu'il r passe son examen - avant de passer son exame 4. ... jusqu'à ce que le compte à rebours se déclench (ou jusqu'à ce que soit déclenché le compte à rebour 5. Avant qu'ils ne rentrent dans l'atmosphère ... ava de rentrer dans l'atmosphère. 6. ... jusqu'à ce que soleil se lève (plus courant que « se levât »). 7. ..., bie avant que je me mariasse (ou plus couramment : que ne me marie) ...

5 1. Après avoir acheté votre maison de campagne. 2. D puis que sa mère est morte, ... 3. Dès que le vergl est apparu, ... 4. Quelques heures après que le sole se fut levé, ... 5. Peu de temps après qu'il fut arrivé Melbourne, ... - Peu de temps après être arrivé à Me bourne, ... 6. Après qu'il eut volé une minute et ving huit secondes, ... - Après avoir volé une minute vingt-huit secondes ...

6 ordre ou défense : 1 - 3
interrogation : 4 - 6
narration : 2 - 5

7 1. Ne pas traverser les voies. 2. Emprunter le passag souterrain. 3. Garder le plat au four ... 4. Prendre u comprimé d'Aspiran ... 5. Ne jeter aucun objet par portière.

8 1. De ma fenêtre, je vois un groupe de jeunes ger faire de l'auto-stop. 2. Tu ne m'empêcheras pas d'all voir le défilé. 3. Avez-vous entendu une voiture c pompiers traverser le quartier à toute vitesse ? 4. No regardions un oiseau de proie tournoyer lentement a dessus du fleuve.

9 1. achetez - sera. 2. choisissent - seront. 3. louez serez. 4. prends - feras. 5. suit - réussira. 6. peut - réa sera. 7. apprend - ira. 8. trouves - serons. 9. déjeunes finiras. 10. va - achètera.

10 1. prenait - aurait. 2. repeignait - serait. 3. venait pourrions. 4. lisait - serait. 5. changeait - paraîtrai 6. prenais - économiserais. 7. conduisais - aurais. 8. po vais - partirions.

11 1. avions acheté - aurions fait. 2. avait converti - aura réalisé. 3. avaient fermé - n'auraient pas été cambriolé 4. avait vérifié - n'aurait pas dérapé. 6. avais pu - aura réglé.

12 1. Si vous l'interrogez sur la vie politique de son pays il se réfugie dans les généralités, ... 2. Si le coup de volant avait été trop brutal, nous allions dans le fossé. 3. Si une guerre venait, je me demande comment la population réagirait (ou : Si une guerre survenait...). 4. Si nous n'avons pas d'argent, il n'est pas question de partir en vacances. 5. Si tu bêches toute la journée cette terre sèche, ...

ercices sur documents

Travail-Loisir »)

- Le travail, c'est l'univers de la contrainte, de la routine, des tâches pénibles.
- Le loisir, c'est l'univers de la liberté, de l'épanouissement de soi, de la détente.

(–) ; (+) ; (+) ; (–) ; (–) ; (+) ; (+) ; (–) ; (–) ; (+).

Individuelle	:	lire - radio - télé - courrier...
Sociale	:	bénévolat - œuvres.
De groupe	:	restaurant - amis - parents...
Physique	:	faire du sport - bricoler - jardiner.
Intellectuelle	:	lire - suivre des cours.
Culturelle	:	spectacle - faire des voyages.
Créative	:	dessiner - faire de la musique.

- On peut s'inscrire à un stage d'été.
- On peut étudier la photo, l'astronomie, la sculpture, l'informatique et beaucoup d'autres disciplines.
- Parce qu'ils ont envie de / sont à la recherche de leur « moi ».

2 *ARMELLE*
A. 7 - 6 - 4 - 3 - 5 - 2 - 8 - 1.
B. c.

Le Ministère de la Culture »)

1 b - c - d - e - f - g.

2 a - c

3 augmenter - écouter - fréquenter - pratiquer.

4
- Les jeunes fréquentent beaucoup les spectacles musicaux et chorégraphiques.
- Un jeune sur deux joue d'un instrument de musique.

Troisième Age »)

1 Le troisième âge / les « Anciens » /

2 « ... parce qu'elles ont des problèmes de santé.
- parce qu'elles n'ont pas assez d'argent pour partir.
- parce qu'elles ont des difficultés pratiques : le chat qu'elles ne peuvent pas laisser tout seul.
- parce qu'elles ont peur ou pas envie de partir en vacances.

3

Problèmes de santé	:	2 - 7
Coût financier	:	4
Difficultés pratiques	:	6
Peur	:	1 - 8
Manque d'envie	:	3 - 5 - 9

xercices de vocabulaire

Récriture 1

rompre, fermer, contraindre, échelonner, surcharger.

Récriture 2

1. ... avant que le musée (ne) ferme (avant que le musée (ne) soit fermé). 2. ... après qu'ils ont rompu. 3. Il a demandé qu'on échelonne les paiements sur 2 ans (que les paiements soient échelonnés sur 2 ans). 4. ... d'être surchargé de travail. 5. ... d'être contrainte par le règlement.

Expressions idiomatiques

1. Il apparaît aux yeux de tous ... 2. ... pour tes beaux yeux mais ... 3. ... il lui fait toujours les yeux doux. 4. ... il a ouvert de grands yeux. 5. ... je lui en mette une sous les yeux. 6. ... elle ferme les yeux sur toutes ses sottises.

Récriture 3

1. Elle est tombée malade ... 2. ... à médire. 3. ... il est nostalgique. 4. J'ai fait beaucoup d'efforts ...

Soyez plus précis

1. La joie règne dans la rue. 2. Trop de mots inutiles alourdissent son texte. 3. Des applaudissements ont éclaté au milieu de son discours. 4. Son bureau est recouvert de dossiers.

Choisissez

1. a) ces - b) ses - c) Ces, ses. 2. a) c'est - b) s'est - c) sais - d) C'est, sait, s'est. 3. a) cet - b) Cette - c) sept - d) cette, sept, cet.

DOSSIER 7

Exercices de grammaire

1 1. Il faut que vous lui parliez de votre problème ! 2. Il faut que vous cherchiez un emploi mieux rémunéré ! 3. Il faut que vous preniez des vacances, ... 4. Il faut que vous arrosiez les plantes après le coucher du soleil ! 5. Il faut que vous preniez une veste, ... 6. Il faut que nous téléphonions à notre cousine ... 7. Il faut que vous lui rendiez ce livre, ... 8. Il faut que tu t'entraînes sérieusement, ... 9. Il faut que vous arrêtiez de fumer, ... 10. Il faut que vous alliez acheter du vin, ...

2 1. Je souhaiterais (ou je souhaite) que tu viennes déjeuner... 2. Je désirerais que tu sois plus poli ... 3. J'aimerais qu'il puisse faire son stage. 4. Je voudrais (ou je veux) que vous fassiez un effort ! 5. Je souhaite que tu puisses faire ce voyage... 6. J'aimerais que tu ne fasses pas tant de bruit ! 7. Je désirerais (ou Je désire) que vous répondiez à mes questions.

3 1. Je ne crois pas qu'elle ait raison. 2. Je ne pense pas qu'ils viennent ce soir. 3. Elle ne prétend pas que tu sois malhonnête. 4. Je ne suis pas sûr qu'elle réussisse. 5. Je n'affirme pas que nous devions nous entendre avec eux.

4 1. ait. 2. réponde. 3. soient parvenus. 4. prévienne. 5. soyez mis.

5 1. ait été donné. 2. ait atteint. 3. soient ouvertes. 4. arrive.

6 1. donc. 2. et. 3. donc. 5. car. 6. ni - ni - et - mais.

7

	1	2	3	4
pronom	x			
préposition		x	x	x

8 1. à cause de. 2. en raison d'. 3. pour. 4. par crainte de.

9 1. puisque. 2. parce que. 3. comme. 4. puisque.

10 1. puisque. 2. puisque. 3. parce que. 4. puisque. 5. puisque. 6. parce que.

11 1. N'en parlons plus puisque ça vous contrarie (cela vous contrarie). 2. Nous marchions assez lentement parce que, tout compte fait, rien ne pressait. 3. Je ne suis pas allé à la piscine parce que j'étais très enrhumé. 4. Elle est furieuse parce qu'on l'a bernée avec de fausses promesses. 5. Puisque ce garçon est, paraît-il, très séduisant, invitez-le donc à notre soirée de fin d'année.

Exercices sur documents

(« Yvette Roudy »)

2 a. 64 % / b. 34 / c. moins /

3 moins / mieux / aucun / des sous-fifres /

(« Cette fille... »)

1. a / 2.b / 3.c / 4.a / 5.a / 6.c / 7.a.

8 a.a / b.d / c.b / c.e / d.c / e.g / f.a / f.b / h.e / i.f / j.a

(« Les Hommes et les tâches ménagères »)

1 Le repassage / faire la cuisine / nettoyer les vitres / sortir les poubelles / faire les courses / mettre le couvert (la table).

2 a) La participation des hommes aux tâches ménagères.
b) Par l'institut C.E.D.O.P.
c) 1 000 personnes.

3 a : sortir les poubelles - faire les courses et mettre le couvert.
b : repasser - faire la cuisine et nettoyer les vitres.

(« Cyprienne »)

1 a) une musicienne / une cuisinière / une infirmière.
b) Il est curieux que l'on dise qu'elle est « *musicien* » (masc.) alors que l'on parle d'une femme.

2 a) Ces offres proviennent d'une brochure de la Marine nationale intitulée « Carrières Féminines ».
b) Les noms des postes proposés pour les femmes sont formulés au masculin.
c) 3.
d) plutôt féministe.

(« Les couples qui durent »)

1 « Ils se sont fiancés en 1946. »
« Ils se sont mariés en 1953. »

2 Depuis quand êtes-vous mariés ? / Combien de tem[ps] ont duré vos fiançailles ? / Comment était-elle ? / O[...] était très puritaine m'avait communiqué une belle pe[...] des hommes. / Eh lui, comment était-il ? / Pourqu[oi] l'aimez-vous ? /

3 A : La tolérance / B : La passion / C : L'amitié / D : [...] convenance / E : Le conformisme.

(« Essor du célibat »)

1 b-c / 2-c / 3-c /

Exercices de vocabulaire

Familles

1. de Thérèse et d'André. 2. de Françoise et de Fra[n]çois. 3. de Caroline et de Véronique. 4. de Jean-Lo[...] et d'Odile.
1. la fille. 2. la sœur. 3. la cousine. 4. la nièce.

Problème

1. de Pierre et de Martine. 2. Jacqueline. 3. de Claudi[...] 4. Grégory, Éric et Nathalie. 5. de Jean-François. 6. Ma[r]tine. 7. Jean-François.

Prépositions : à ? chez ?

à - à - à - chez - à - chez - chez - au (ou chez) - à - a[...] chez.

Soyez plus précis

1. J'ai rangé ... 2. ... il crée, il apporte ... 3. ... glis[...] 4. On m'a inscrit ... 5. Il a apporté, consacré ... 6. [...] consacrèrent ... 7. Elle revêtit ...

DOSSIER 8

Exercices de grammaire

1
1. Elle a si mal qu'une grande partie du public e[st] parti avant la fin.
2. Puisque vous avez fait plusieurs voyages en Am[é]rique latine, vous pourriez nous aider...
3. Les deux pays ont rompu les relations diplom[a]tiques à cause de la prise en otage ce dernier wee[k-]end à Paris de cinq fonctionnaires de l'ambassad[e].
4. Tous les prisonniers de guerre ont été libérés grâ[ce] à l'intervention déterminante de la Croix Rou[ge] Internationale.
5. Nous n'avons pas organisé de confrontations [de] témoins parce que ce n'est pas l'usage dans l[es] commissions parlementaires et que d'ailleurs, no[us] ne sommes pas des juges d'instruction.
6. Étant donné la qualité de ses dernières représe[n]tations, nous sommes en mesure d'affirmer...
7. Le nombre de sportifs a doublé cette année si bie[n] qu'il a fallu créer de nouveaux centres sportifs.
8. Ils n'ont pas pu t'appeler puisqu'ils sont partis [en] vacances il y a vingt jours.
9. Comme la Fédération d'Étudiants a approuvé [le] projet de loi universitaire, le gouvernement ...

2 Ex. : Le bruit était *si* violent, *si* plein, *qu'*il me sembla ne plus rien entendre (A. Memmi). — 1. Tu as *tellement* ri que tu nous as fait chavirer (S. Beckett). — 2. Les foins avaient été beaux, de *sorte que* l'année dans son ensemble ne méritait ni transports de joie ni doléances (L. Hémon). — 3. Il lui semblait qu'elle montait depuis des heures, au milieu d'un *tel* dédale, parmi une *telle* complication d'étages et de détours, *que* jamais elle ne redescendrait (E. Zola). — 4. Enferme jalousement dans ton cœur ces choses. Serre-les *tellement* fort en toi *que* les nerfs te fassent mal (C.-F. Ramuz).

3 1. Comme les gens étaient devenus nombreux, ils marquaient le pas, ... 2. Comme je ne trouvais pas à m'asseoir commodément, je ... 3. Comme il était plus connu dans son pays que dans un autre, il ... 4. Comme Eugène était très sérieux, la plaisanterie de Brianchon ne le fit pas rire.

4 1. Il travaille dans un bureau afin d'aider ses parents. 2. La mairie a organisé différentes activités sportives pour l'été prochain pour encourager la pratique sportive chez les jeunes. 3. Je t'amènerai à la gare en voiture pour que tu n'aies pas d'ennuis avec tes bagages. 4. Nous imposerons des prix uniformes afin que tous les commerçants puissent en bénéficier. 5. Le délai des inscriptions sera rapporté au mois de juin, afin que les intéressés qui n'ont pas pu s'inscrire aient la possibilité de le faire. 6. Nous avons fait toutes les démarches nécessaires en vue de l'organisation de votre stage de perfectionnement dans l'institution qui vous intéresse.

5

	1	2	3	4	5
But		x		x	
Conséquence	x		x		x

6 1. Oh ! mon pauvre capitaine ! Je vais faire dire des prières *afin que* le ciel te restitue ta raison (H. de Balzac). — 2. Alain lui ôta des mains le ravier de tomates crues et le panier de fraises, insista *pour qu'*elle prît du poulet à la crème (Colette). — 3. Puis elle sonnait *pour qu'*on apportât la lampe (G. de Maupassant). — 4. Le directeur donnait des ordres *pour qu'*on ne fît pas de bruit à mon étage (M. Proust). — 5. Nous t'introduisons dans le camp ennemi *afin que* tu te familiarises avec ses armes (D. Chraïbi).

7 1. ... afin que soient réduits les armements nucléaires.
2. ... pour qu'on lui accorde un délai de paiement.
de sorte, qu'un délai de paiement, lui soit accordé.
3. ... pour qu'on leur attribue une bourse.
4. ... afin qu'il vienne à son secours.
5. ... afin que s'accroissent nos exportations.

8 1. *Malgré* son intelligence, elle a peu d'ambition. — 2. *Bien qu'*on l'eût averti, Ludovic n'a pas tenu compte du danger. — 3. *En dépit de* la guerre, nous vivions heureux. — 4. *Au lieu de* l'attendre pour le mener dans sa voiture, Arnoux était parti la veille (G. Flaubert). — 5. J'avais l'impression d'être utile à l'époque, *alors que* je n'exerçais aucune fonction particulière (P. Moustiers).

9 2. Au lieu de. 3. alors qu'. 4. Bien qu'. 5. Malgré. 6. Alors qu'.

10 1. Quelle que soit la proximité de la mer, ... 2. Quelque courageux qu'il soit, Bernard Embrun, ... 3. Quelle que soit la fragilité de sa santé, Sébastien ... 4. Quelque riche et divers que soit notre réseau routier, ...

11 1. Quoi qu'on fasse, ... 2. Quoiqu'on fût ... 3. Quoi que fasse ... 4. Quoi que vous puissiez penser ... 5. Quoiqu'elle se sente ...

12 1. Quelle que soit la générosité ... 2. Quelques satisfactions ... 3. Quelqu'ingénieuse qu'elle soit, ... 4. Quelle que soit l'heure ... 5. A quelque distance que ...

Exercices sur documents

(L'A.F.A.A.)

1 en / depuis / il y a / de /

2 L'A.F.A.A., les instituts culturels et les Alliances Françaises.
Dans des instituts culturels ou dans les Alliances françaises.

3 Voie aller : à l'étranger - exporter - envoyer - extérieur.
Voie retour : accueil - importer - intérieur - recevoir chez soi.

(« Agence Xinhua »)

1 — L'Agence Xinhua.
— Il a été écrit à Pékin.
— Il nous apprend que Carmen de G. Bizet figurera parmi les spectacles qui seront présentés à Pékin à l'occasion de la fête du printemps et qu'il y aura 9 représentations.

2 Georges Bizet / à Pékin / Par des artistes français en chinois / à l'occasion de la fête du printemps / Il y en aura neuf /

3 En effet, à l'occasion de la fête du printemps, Pékin a fait venir l'Opéra central qui représentera en chinois « Carmen » de G. Bizet.

(« Faites de la musique »)

1 — Parce que c'est le jour | où commence l'été.
| du solstice d'été.
— « sur l'ensemble du territoire. »
— Depuis 1982, le 21 juin, des amateurs et des professionnels de musique, isolés ou en groupe, sortent dans les rues pour y faire de la musique.

2 21 juin 1982 / le Ministère de la Culture / les trois sociétés de télévision - toutes les radios publiques et privées / l'institution musicale - les amateurs de musique /

3 b - c - d - i

(« Higelin »)

1 Situations négatives : désespoir - mal de vivre - les problèmes sont loin d'être résolus - ça leur fait mal - envie de se suicider.
Situations positives : tout s'arrange - tout va bien - donner de l'espoir - redonner du désir.

2 Il parle des chanteurs.

3 d'autant plus qu'elle le connaissait personnellement / Toute seul car aucune de ses amies n'avait voulu l'accompagner /

(« Le cinéma »)

1 b - Le lieu de résidence / c - Le niveau d'instruction / d - Le groupe socio-professionnel d'appartenance.

2 a / d /

3 « ... 75 % des entrées sont le fait de personnes âgées de moins de 35 ans. »
« ... 60 % des entrées proviennent des villes de plus de 100 000 habitants. »
« ... 44 % des entrées sont le fait de personnes appartenant aux milieux cadres. »

4 des jeunes de moins de 35 ans / des villes de plus de 100 000 habitants / des études secondaires ou supérieures / à des milieux cadres.

Exercices de vocabulaire

Comprenons-nous bien

1. b) - 2. b) - 3. a) - 4. b) - 5. b)

Suffixes - ance

Tableau 1 1. souffrance - 2. jouissance - 3. resse blance - 4. croissance - 5. connaissanc

Tableau 2 1. importance - 2. prédominance - 3. cla voyance - 4. prédominance.

Tableau 3 1. innocence - 2. violence - 3. conscienc 4. cohérence.

Le mot juste

1. a) parti - b) partie. 2. a) une pause - b) une pos 3. a) acquis - b) acquit. 4. a) censé - b) sensé. 5. a) fonc b) fonds.

Prépositions

1. à - 2. pour - 3. pour - 4. contre - 5. avec - 6. de.

Soyez plus précis

1. s'élève / se dresse. 2. se pressent. 3. s'élève, se dress 4. se manifeste. 5. se rencontrent.

Table des matières

DOSSIER 5 :

DOSSIER 6 :

DOSSIER 7 :

DOSSIER 8 :

NOTES PERSONNELLES

NOTES PERSONNELLES

NOTES PERSONNELLES

NOTES PERSONNELLES

NOTES PERSONNELLES

NOTES PERSONNELLES

N° d'éditeur CL 52741 XVI (D.O. VII).
Imprimé en France. Octobre 1988
par Mame Imprimeurs à Tours (n° 21657).